幸福論3.0

価値観が衝突する時代を
柔軟に生きる

小川仁志
Hitoshi Ogawa

方丈社

はじめに——コロナで価値観が衝突する時代を柔軟に生きる

新型コロナウイルスによるパンデミックが宣言されて以降、世界はそれまでとはまったく別のものに変わってしまいました。私たちはウィズコロナという名のウイルスとの共存生活を強《し》いられるようになったのです。

それはただでさえ息苦しく、心身の病を患いやすい現代社会を、より棲《す》みにくいものにしてしまったといっていいでしょう。経済が縮小すると、人々の心もぎすぎすしてくるものです。そして何より、安全か経済かという価値観の衝突が、人々を二分しているようにも思えます。ほかにもそれに起因する複雑な価値観の衝突が、家庭から職場まで社会の随所で起きています。

そんな生きづらい世の中を、それでも健やかに、そして楽しんで、柔軟に生きていく方法はないものでしょうか。

もともと私は、自分自身が何度も心身の危機に苛《さいな》まれ、若い頃には引きこもりさえ経験したことから、心の健康に大きな関心を抱いてきました。いかにすればストレスなく、日々過ごすことができるか。特にここ数年は、年齢とともに重責を担うことも多くなり、真剣にストレスと向き合う必要性を感じていました。

そんな時、企業などにおける心の健康サポートを行うウェルリンク株式会社から、心の癒しをテーマにした連載のお話をいただきました。そこであたかも疲れ切った自分自身に言い聞かせるかのように、定期冊子『COCORO』にさまざまなテーマでコラムを書いてきました。本書はそれらコラムをテーマごとにまとめ、編集し直したものです。

とりわけ単行本化にあたっては、コロナ禍の現状を意識し、少しでも読者の皆さんの心が前向きになるように、そしてとかく孤独を強いられる日常の中で、少しでも強く生きていただけるように、メッセージを盛り込むよう工夫しました。

一言でその内容を表すのはとても難しいのですが、あえていうなら書名にもつけた「幸福論3.0」ということになるかと思います。この言葉自体は本文の最後のほうにに少し出てくるだけですが、ある意味で本書全体が、価値観が衝突する時代の新しい幸福論にほかならないからです。

本書の構成としては、「心と身体を哲学する」「仕事と余暇を哲学する」「人生と生活を哲学する」の三章だてになっています。これは読みやすくするための便宜上の区分ですので、より興味のある章から読んでいただければいいかと思います。

各章のタイトルを見ていただければわかるように、いずれも「哲学する」というのがキーワードになっています。

「哲学する」というと、なんだか難しいことのように思われるかもしれませんが、あくまでテーマとなっている事柄の本質を考えるといった程度の意味合いです。

本文中では、必要に応じて古今東西の哲学者の叡智に言及したりしていますが、そうした知識をお伝えするのが目的ではありません。むしろそうした知識以上に、テーマとなっている事柄に関して、日ごろ見えていない部分を提示するのが本書の役割だと思っています。

哲学は、一見当たり前のように使っている言葉や概念が、実は自分の思いもしないような深い意味を持っていたり、隠れた意味を持っていることを明らかにする点に意義があります。

本書で掲げた各項目は、いずれも日常頻繁に目にする事柄ばかりだと思いますが、哲学することを通じてはじめて、その本当の意味がわかってきます。そしてはじめて、日常が豊かなものになり、心安らかにかつ強く生きていけるのだと思います。

コロナの時代を生きざるを得ない私たちにとっては、これから先もまだまだ不安な日々が続きそうですが、本書が少しでも皆さんの心の支えになることを祈っております。

二〇二一年二月

小川仁志

幸福論3.0　目次

PART1
価値観が衝突する時代の
心と身体を哲学する

PART2

価値観が衝突する時代の 仕事と余暇を哲学する

PART3

価値観が衝突する時代の人生と生活を哲学する

装丁・本文デザイン　印牧真和

PART1

価値観が衝突する時代の

心と身体を哲学する

心とは何か——自分自身とうまく付き合うために

●心は身体の中のどこに存在しているのか

なんとなく心が落ち着かない。心がときめく。あなたの心が分からない。心を込めて歌う……。

日ごろ私たちはこんなふうに心という言葉を遣《つか》います。ところが、心とは何かと問われると、途端に困ってしまうのです。なぜなら心は目に見えるものでも、形があるものでもないからです。にもかかわらず、私たちの身体の中のどこかに存在している。不思議ですよね。

多くの人は胸に手を当てて、あたかも心がそこにあるかのような仕草をしますが、胸にあるのは心臓であって、心ではありません。心臓はあくまで血液を送り出すポンプにすぎませんから。

たしかに心が落ち着かないときや心がときめくときは、心臓の鼓動が早くなったりします。でも、それは脳からの刺激によるものなのです。

ということは、心とは脳なのでしょうか？　少し突っ込んで心の正体について考えてみたいと思います。

実は哲学には「心の哲学」という研究分野があります。文字通り、心とは何かを考察する哲学の一分野なのです。

●「心の哲学」における二つの代表的な考え方

人間の心の正体は、古代ギリシア以来の哲学的テーマであり、少なくとも近世の入り口においてフランスの哲学者デカルトが「心身二元論」を唱えて以来、主要なテーマとして論じられてきたといっていいでしょう。

「心身二元論」とは、心と身体は別物だという考え方です。だからといって、デカルトは心の正体を明らかにしたわけではありません。ところが近年、科学の進展に伴って、科学によって心を生み出せるかどうかが議論され始めました。

これを受けて、現代の心の哲学には二つの代表的な考え方が出てきています。

一つは「二元論」と呼ばれるもので、心は物質とは異なる非物理的な存在であって、世界は非物理的な存在と物理的な存在の二種類で構成されているという考え方です。

もう一つは、「物的一元論」と呼ばれるもので、世界は心も含めてすべて物理的な存在だけで構成されているという考え方です。これは物理主義と呼ばれることもあります。なぜなら、物的一元論によると、心も含めすべては物理学で説明できるということになるからです。

心は目にも見えないし、形もないので、一般には二元論のほうがしっくりくるのではないでしょうか。

ただ二元論の問題点は、心が非物理的な存在だとすると、いったいどのように物理的な存在に影響を及ぼしているのかが説明できない点です。

物質ではないお化けみたいなものが、私たちの身体をどう操っているのか。まさか心が念力によって身体に作用しているというなら話は別ですが、それはなかなか納得できないでしょう。

●心の状態は機能にすぎないという考え方

他方、物的一元論は心を物質ととらえます。

たとえば、心は脳だと決めつけたりします。これを「心脳同一説」といいます。心の状態とは、つまり脳の状態であるというふうに考えるのです。これだと二元論のような心と身体の関係に関する問題は起きません。すべては物理的作用によるものなのですから。

ところが、そう考えてもある問題が生じます。

たとえば、心脳同一説によると痛みという心の状態は、脳の繊維が興奮している状態を意味することになるのですが、その脳の繊維を人造のものと差し替えたらどうなるでしょう？　もちろん人造の臓器が臓器としてきちんと働くように、人造の脳の繊維もきちんと働きます。でも、それを興奮状態にしても、心は痛みを感じないのです。

少し想像してみれば分かると思います。その人造の脳の繊維だけ取り出して興奮させたとき、心は痛いなんて感じるはずがありません。

この問題を解消するために唱えられたのが、「機能主義」という考え方です。機能主義とは、物的一元論の一つで、心の状態をその機能によって定義していこうとする立場です。オーストラリアの哲学者アームストロングらが唱え始めたものです。

つまり、心の状態とは機能にすぎないと考えるのです。痛みについていうと、あくまで刺激に対して生じる機能によって定義される状態だと考えるわけです。

これなら人造の脳の繊維の興奮であったとしても、痛みの機能自体は実現できるのだから、ちゃんと痛みが生じることになります。

●意識はあっても、感覚がない場合がある

この機能主義は、ＡＩが意識を生じるかという議論に大きな影響を与えています。機械で構成された存在でも、機能さえ整えば意識を生じるのは可能ということになるからです。それでも、そこで生じた意識が、私たち人間が持っているものと同じかどうかはまた別問題です。意識はあるといっても、そこにクオリアが欠けている可能性があるからです。

クオリアというのは、意識に現れる感覚的な質のことです。主観的経験とか、単純に「感じ」と説明されることもあります。リンゴを見て赤いと感じるとか、キャンディーを食べて甘いと感じるとかいった、その感覚のことです。

意識はあるものの、クオリアを欠くということは可能です。いわばゾンビがそうでしょう。実際、哲学の世界では、その状態を「哲学的ゾンビ」と呼んでいます。オーストラリアの哲学者チャーマーズによって提起された思考実験です。本来は、意識を持っていれ

ば、クオリアがあるといえます。私たち人間はまさにそうした存在です。

しかし、論理的には意識を持っていつつも、クオリアが欠けているという存在を想定することは可能なのです。そうした存在は、外見上は生きてはいるものの、あたかも心がないかのような存在なので、ホーラー映画のゾンビになぞらえられるわけです。

もっとも、クオリアの正体はまだよく分かっていないので、もしかしたら意識があればクオリアがあるといえるのかもしれません。でも、そのへんは科学的にも解明されていないのです。結局、クオリアの謎が解けていないこともあって、心の正体は謎のままです。

それでもここで紹介したように、科学の知見も取り入れつつ、哲学の世界でも徐々に心の正体を解明しようという機運は高まっています。

ぜひ皆さんも、心が落ち着かないとき、いったい自分の中で何が起こっているのか考えてみてはいかがでしょうか。自分の心とうまく付き合っていくためのヒントが見つかるかもしれませんよ。

得体の知れないものと付き合うのは不安ですが、仕組みが分かると少し安心するものです。とりわけ私たちは、このコロナ禍において、日々不安な毎日を過ごさなければならない状況に置かれていますから……。

無意識とは何か——心を上手にコントロールするために

●すべての言動が意識的なわけではない

なぜだか分からないけれどイライラする、苦しい、落ち込む……。そんなことってありませんか？

人はなんの理由もなしに怒ったり、ふさぎ込んだりすることはないでしょうから、きっと原因があるはずです。ただ、それに自分自身が気づいていないだけなのです。そう、人間の中には無意識が存在し、それが私たちをコントロールすることがあるのです。

哲学の世界では、近代の初めにデカルトが意識を特権化して以来、あたかも人間は意識的な動物であるかのように語られてきました。いわゆる「我思う、ゆえに我あり」です。この言葉が意味するのは、世の中のものは何でも疑えるけれど、自分の意識だけは疑えないということです。つまり、人間の本質は意識だというわけです。

ところが、この発想には直後からさまざまな反論がありました。意識だけでなく、無意識もあるだろうという反論です。

たとえば、無意識的表象という概念を提起したライプニッツや、少し後の時代になりますが、世界を盲目の意志としてとらえたショーペンハウアー、キリスト教社会の背後に潜むルサンチマンの存在を糾弾したニーチェなどです。

私たちの日常を少し冷静に振り返ってみれば、すべてが意識によってコントロールされた言動ばかりではないことは分かると思います。ただ、それを認めたくないのが心情なのでしょう。誰しも自分をコントロールできていないと思うと、不安になるからです。でも、その現実から目を背《そむ》けようとすることで、結局苦しむ羽目になるのです。

●言動や気分を左右する心の三層構造

そうした苦しみから、治療というかたちで私たちを解放してくれたのが、精神分析の父、ジグムント・フロイトでした。

フロイトは、心のメカニズムを明らかにすることで、心に無意識の領域があることを説得的に示しました。それによると、心は三層構造になっているといいます。

まず人間の根底には、性的エネルギーとしてのリビドーと呼ばれる欲動が存在します。

これをドイツ語で「エス」といいます。ラテン語で「イド」ともいいますが、共に「それ」という意味です。よく分からない存在だからこう呼ぶしかないのでしょう。いわば無意識の心的エネルギーを指しています。

これに対して、父親の存在に象徴されるような、ある種の規範意識が対立します。これを「超自我」といいます。ここでは、たとえば男の子が母親への愛に挫折し、父親に対して抱くエディプス・コンプレックスが大きな影響を及ぼしています。そしてこの両者の対立を調停するのが「自我」と呼ばれるものです。

このエス、自我、超自我の三つで成り立つ心の三層構造が、互いに影響し合うことで、私たちの言動や気分が左右されるといっていいでしょう。

具体的にいうと、超自我はエディプス期の両親の道徳的側面が子どもの心的装置の中に内在化されたものだといえます。つまり、親から与えられる抑圧が、自分の中で内在化されるわけです。これが超自我の形成過程です。

したがって超自我の機能は、両親を取り入れ、それを同一化する結果生まれるものとなります。いわば善悪を教える機能です。

また、行為だけでなく、不道徳な行為をとろうとする思いに対しても作用します。このように、欲動としてのエスと規範意識としての超自我は対立することになります。
自我はこの両者を調停する役目を担うのです。両者のはざまで対立をうまくコントロールしたり、阻止したりする機能を働かせることによって、自我は発達していきます。

●フロイトは、なぜ夢分析を行ったのか

ただ、自我は万能ではありません。エスと超自我の間で常に葛藤しなければならないので、心が爆発しそうになることだってあるわけです。その場合フロイトは、防衛機制という機能が働いて自動的にガス抜きするようにできているといいます。欲しいものが手に入らなくても、代わりのもので我慢できるのはそのおかげです。そうでないと、みな罪を犯してでも手に入れるでしょう。

実際に罪を犯す人もいますが、それは無意識の欲動がよほど強いからです。ほかにも、この無意識のせいで、変な習性を持ったり、変なことで悩んだりすることがあります。

でも、フロイトは、そうした事柄には必ず原因があるとして、夢の分析や自由に語らせるといった方法を通じて、治療法を確立していったのです。

●無意識を意識のもとに引っ張り出す

不思議なことに、人は原因が分かると、悩みから解放されます。無意識という得体の知れないものが意識化されることで、支配可能になるからでしょう。そう、無意識というのは、常に背後に隠れていて、私たちの知らないところで私たちをコントロールしようとします。だから苦しむのです。

ということは、無意識を意識のもとに引っ張り出してくればいいのです。そのためには、精神分析のような治療も有効ですが、そこまでいかずとも、客観的な視点さえ持つことができれば、いいような気がします。冷静に考えて、背後に潜むものを発見すればいいのです。現にフロイト以降、さまざまな分野で無意識の発見が相次ぎましたが、それらは必ずしも治療を必要とするものではありません。むしろ客観的視点によって謎を暴くというタイプのものが多いといえます。

たとえば、フロイトを批判的に継承して、人類に共通の歴史的無意識である集合的無意識が存在すると唱えたユング、言語体系の中に人間の意識を超えた無意識の体系があることを発見したソシュール、それを敷衍《ふえん》して言語以外のあらゆる物事に構造があると指摘した構造主義の完成者レヴィ＝ストロースらがそうです。

その意味では、精神分析より哲学のほうが射程が長いといえるかもしれません。心のメカニズムに限らず、もっと広い視点から私たちの無意識を構成する要素を発見することができるからです。

無意識は心の中だけに存在したり、心の中からだけ私たちをコントロールしようとするものではないのです。

したがって、なんだか分からないけど無性にイライラするとか、ふさぎ込むといったときには、できるだけ広く、客観的に自分と自分を取り巻く状況を眺めてみてください。きっとどこかに犯人がいるはずです。仮に真犯人がつかまらなくても問題ありません。要は、自分の意識を責めないということが大事なのです。

感情とは何か——ポジティブに生きるために

●訓練すれば、感情はコントロールできる

ついカチンときて声を荒《あら》らげてしまった。イライラして仕事が手につかない。こんなふうに、感情のコントロールに悩みを抱えている人はたくさんいます。これを放置しておくと、ストレスがたまって爆発するか、うつ病になってしまうか、いずれにしてもよくない結果になることは明らかです。では、いったいどうすればいいのか？

フランスの哲学者ルネ・デカルトは、感情に関する史上初の本格的な哲学書といってもいい『情念論』を著しました。その中で次のようにいっています。「最も弱い精神の持ち主でも、精神を訓練し導くのに十分な工夫の積み重ねを用いるなら、あらゆる情念に対してまさに絶対的な支配を獲得できるのは明らかである」と。

つまり、誰でもきちんと訓練さえすれば、感情をコントロールすることができるというのです。

デカルトは「われ思う、ゆえに我あり」のフレーズで有名な哲学者ですが、まさに「我思う」その理性こそが、人間の本質だと唱えた人物です。したがって、理性でコントロールすれば、いかなる感情も支配可能だと考えているわけです。

そのためには、具体的にどんな訓練をすればいいというのでしょうか。デカルトが提案するのはこんな方法です。

「精神に一定の対象を表象する運動は、自然的に、精神のうちに一定の情念を引き起こす運動と結びつけられているが、それにもかかわらず、習性によって、その運動から分離して、まったく違った別の運動と結びつけることができる」

普通はある行為や出来事が起こると、それに対応する感情が生じます。たとえば、悪口をいわれれば、怒りがこみ上げるというように。ところがデカルトは、その出来事と感情の結び付きを変えることができるというのです。悪口をいわれたとき、怒りに結びつけるのではなく、同情に結び付けるというように。

そういう習慣を身に付けておけばいいのです。悪口を聞いたら、もう機械的に同情するようにする。ああ、あの人はかわいそうな人だなと。たしかに他人の悪口をいうような人は、何か人生にうまくいかないことがあって、それを悪口という形ではけ口にしているのでしょう。そして何より、こう考えることで、自分の怒りをコントロールすることができるのです。

これによって私たちの日常は、急にスムーズなものになるでしょう。感情が思考を邪魔することがなくなるからです。イライラしていては集中もできませんし、きちんとした思考力が働きません。そもそも感情は、思考を邪魔するために存在するのではありません。その逆で、感情は思考を補助するためにあるはずなのです。

●感情が高ぶりすぎると思考も暴走する

思考力と感情は二種類の異なる能力といっていいと思います。その二つの異なる能力は、互いに相乗効果を発揮するために存在します。デカルトはこういっています。「あらゆる情念の効用は、精神のなかに思考を強化し持続させることのみにある」と。

ただ、それが行きすぎると、思考が凝り固まったものになりがちです。感情もほどほどでないと、思考を補助しすぎることになるわけです。

デカルトがすごいのは、そのことについても指摘している点です。「情念がもたらしうる害のすべては、それらの思考を情念が、必要以上に強化し保持すること、とどめるべきでない別の思考を強化し保持することにある」のだと。

先ほど、感情は思考を補助するためにあるはずといいましたが、悔しいと感じすぎると、誰かを逆恨みしたりしかねないのです。これは思考が暴走してしまっている状態です。そうなるともう感情は有害でしかないのです。せっかく思考のプラスになるはずの感情を、有害なものにしてしまってはいけません。

●悲しみを消すには、まず憎しみを消す

基本的に、感情はほどほどであれば有害にはならないのですが、中には程度にかかわらず有害なものもあります。それは憎しみです。デカルトはこう断言します。「憎しみは、どんなに小さくてもやはり必ず有害だ。そして悲しみをともなわないことはけっしてない」と。

憎しみだけは持ってはいけません。憎しみはネガティブなものでしかないからです。たしかに、人や物を憎んで、いいことなど一つもありません。それはウイルスに対してさえもです。新型コロナウイルスを憎んでみたところで、なんの解決にもならないでしょう。

さらに、憎しみは憎しみの連鎖を生むといいます。デカルトのいうように、憎しみは悲

しみを伴うので、憎しみを抱いている限り、悲しい思いが続くことになるのです。

そう、憎しみの問題は、悲しみにあるのです。悲しいという気持ちが続くのは、精神にとってよくありません。デカルトはこんなふうにいっています。「悲しみは、いやな無気力であり、脳の刻印が精神自身に属するものとして表象する悪や欠陥から精神が受けとる不調のもとをなす」と。だから悲しみを締め出す工夫がいるのです。

●強制的に心の中にポジティブを取り入れる

私の場合、悲しいときはとにかくおかしいものを見るようにしています。お笑いを見るとか、コメディドラマを見るとか。そうすると、自然に笑ってしまいます。そして笑い出すと、悲しみは締め出されるのです。どうやら悲しみのようなネガティブな感情と、喜びのようなポジティブな感情は同居できないようです。

ですから、強制的に心の中にポジティブなものを取り入れて、ネガティブなものを締め出せばいいのです。これは割と簡単です。

それに比して、悲しみを解決するというのは困難です。まず原因を取り除かなければならないでしょうが、それができれば苦労はしません。悲しみの背景に憎しみがあるからといって、誰かに対する憎しみはそう簡単には消えないのです。

そこでせめて心の中を入れ替えてみるというわけです。人間の心が意外と単純なことに落胆する人もいるかもしれませんが、それこそポジティブに考えていただきたいと思います。そのおかげで、簡単に悲しみの感情を締め出せるのですから。

私は常々「ポジティブ哲学」を掲げているのですが、ポジティブな思考をするためには、ポジティブな感情が不可欠です。デカルトのいうように、ポジティブな感情こそが、ポジティブな思考を補強するといってもいいでしょう。そしてポジティブな思考ができれば、ポジティブに生きていくことができるようになります。

ですから、いい人生を送るには、まず感情をコントロールすることが先決なのです。

不安とは何か——心安らかに過ごすために

●自由であるから不安になる

新型コロナウイルスで不安な日々を過ごしている人が多いと思います。人間を苦しめるものの一つが不安です。これは睡眠不足だとか、疲れだとか、あるいは身体の痛みとかとはまったく性質の異なる苦しみです。なぜなら、純粋に心の苦しみだからです。

でも、身体の痛みと同じで、それがある限り苦しまないといけないのです。だから安らかに日常を過ごすためには、不安を取り除く必要があります。

十九世紀のデンマークの哲学者キルケゴールは、彼自身、常に不安を抱いていたのでしょう。著書『不安の概念』には、そんなキルケゴールが不安とは何かを分析し、かつ自分自身がいかにして不安を克服していったかがつづられています。

まず、そもそも不安とは何か？　一言でいうと何かを恐れることです。ただ、キルケゴールにいわせると、それは恐怖とは異なります。なぜなら、恐怖とは恐れる対象がはっきりしているからです。他方、不安の場合は、対象が分からないのです。皆さんはどうですか?

原因がはっきりしていることもあるでしょうが、その場合はどちらかというと悩みであったり、まさに恐怖であったりするのではないでしょうか。

お金がないのは不安かもしれませんが、それは悩みともいえます。治安が悪ければ、襲われる不安がありますが、それは恐怖でもあります。

そうした状態とは違って、ただ漠然と不安だということもありますよね。これが不安の本来の姿だというわけです。

キルケゴールはこれを「自由のめまい」と表現します。つまり、人間には自由があるわけですが、それゆえに不安になるということです。

たとえば、私も経験がありますが、未知の世界に足を踏み入れる自由がある場合、不安を感じるのではないでしょうか。選択の余地がないなら「どうしよう」と思うことすらないわけですから。

その意味でキルケゴールは、恐怖と異なり、不安は人間しか持ちえないものだといいます。

動物は物事を恐れますが、けっして不安を抱くことはありません。これは人間という存在が、動物性と神性とを総合する「精神」を持ち備えているからだそうです。言い換えると、人間は人間だからこそ不安をその本質としているのです。

●信仰を抱かないと不安は取り除けない

キルケゴールは、人間が抱く不安には段階があるといいます。

最初の段階は「精神喪失の不安」です。つまり、精神を持ち備えていることを忘れ、虚心の状態に陥ることを指します。いわば不安をごまかしているような状態なのでしょう。

その次に「運命に対して不安を抱くギリシア的異教徒の立場での不安」を挙げています。キルケゴールはあくまでキリスト教徒としての立場から論じているので、そこのところを考慮して解釈しないと分かりにくいのですが、つまり運命に対して負い目を感じる個人が、自分の自由と責任に目を向けることで抱く不安ということです。

そうして罪の自覚に到達したキリスト教的自覚の段階へと進んでいきます。「罪に対する不安」です。そこから人は信仰を求めるようになるのです。神の愛を信じて、救済を求めるということです。これがもとになって、最後の「信仰と結びついている不安」の段階へと至ります。ここまできてようやく、人は信仰の反復を持続し、不安を克服していけるようになるというわけです。

そう言われると、信仰を抱かない限り不安は取り除けないかのように聞こえますが、私は必ずしもそうではないと思っています。要は何か信じられるものがあればいいのです。

確信を持っている人は不安を抱きません。たとえば、試験などでも、絶対に合格すると確信していれば不安など抱きようもないでしょう。これは不安を解消する一つのヒントになるように思います。

●死を覚悟して生きると不安は消える

このキルケゴールの不安の議論を参考にして、後に二十世紀ドイツのハイデガーも不安について論じています。

ハイデガーもまた、この世にポンと投げ出され、自由に選択をしていかなければならない人間存在の心情を不安と位置づけています。ただ、キルケゴールと異なるのは、自由のめまいの根拠が、自分の負うべき責任にあるのではなく、むしろ逆に自分の中にはないとしている点です。

何をやっていいのか不安だけど、その不安の根拠が自分にあるなら、まだなんとかなります。でもそれが、自分ではどうすることもできないものだとすると、不安の解消はより難しいものになってきますよね。そこでハイデガーは、死を意識し、覚悟して生きることで不安が解消されると訴えるのです。

これは究極の不安の解消法であるように思います。自分はいつか死んでしまうという事実だけは絶対のものです。そのことを意識すると、たしかにあれこれ不安に思っているのがもったいなく感じられるのではないでしょうか。少なくとも私はそうです。もうやるしかないわけですから。

●心の隙間を別の興味関心で埋めてしまう

とはいえ、死に急《せ》き立てられるように生きるというのでは、いくら不安から解放されたとしても、心安らかに過ごすことはできません。そこで提案したいのが、「埋め合わせる」という方法です。

キルケゴールのいう信仰も、ハイデガーのいう死も、いずれも動揺する心を大いなるものにすがらせて、揺れないようにするというアプローチだといえます。それとは違うものとして、私は心を別のもので埋め合わせることを考えてみたいのです。

なぜなら、不安になるということは、心が動揺しているといえると同時に、心に不安というものをはびこらせる隙をつくっているともいえるように思うからです。したがって、もしその隙間を埋めつくすことができれば、不安など生じようもないのではないでしょうか。

具体的には、別のことを考えるということです。楽しいことや興奮するようなことがあればベストですが、必ずしもそうでなくてもいいと思います。

要は何か別のことで頭がいっぱいになればいいのです。ただし、それ自体が不安の種になってしまっては元も子もありませんが。

たとえば、新しい仕事を前にして不安になるとすれば、そのことを考えなくてすむように、心の隙間に別の興味関心を強制的に持ち込むのです。

人はそれを気晴らしと呼ぶこともあります。結局は同じことかもしれませんが、私はこれを心の隙間を埋める不安の解消法として、積極的にノウハウ化してはどうかと思っています。しかも哲学的に。ぜひ試してみてください。

欲望とは何か——満足して生きていくために

●なぜ人間は欲望を抱いてしまうのか

お恥ずかしい話ですが、私の人間らしい一面を告白したいと思います。私は四月とか六月とか、あるいは十月、一般に採用や人事異動、新しいシーズンの始まる時期になると胸のざわつきに悩まされます。なぜなら、誰かが抜擢されたとか、出世したとか、新しいことを始めたと聞くと、自分の中から欲望がふつふつと湧き上がってくるからです。自分も何かやらないと、と焦るのです。

おかげさまでここ数年、四月はわりと落ち着いていました。ＮＨＫのＥテレで「世界の哲学者に人生相談」という番組をやっていたのですが、毎年私が指南役で出演していたからです。これにほかの人が出ていたら胸がざわついていたと思います。

欲望はいい影響を及ぼすときもありますが、自分を苦しめる原因になるときもあります。誰だって満足して日常を生きていきたいはずですが、欲望が湧いてくると、そうはいかなくなるのです。でも、欲望がなかったら成長もしないし、困ったものです。

そもそもなぜ人間は欲望を抱いてしまうのか？　たとえば精神分析学の父フロイトは、欲望を欠如としてとらえました。リビドーと呼ばれる性的な欲望が、無意識となって現れるというのです。神経症の原因としてのエディプス・コンプレックスの話が象徴的です。

つまり、息子というものはいくら母親を愛していても、父親の存在があるがゆえに母親の存在を独占することができません。もし自分が母親を自分のものにしようとすれば、父親に男根を切り落とされるという恐怖に苛《さいな》まれるのです。

そこで息子はどうするかというと、父親の前でいい子になろうと努力します。これがエディプス・コンプレックスです。父親を殺し、母親を娶《めと》ったエディプス王の神話からとったものです。

フロイトはそんなエディプス・コンプレックスが、無意識の欲望の原因だといいます。

●欲望をうまくコントロールできる人とは

たしかに欲望と聞くと、性的なものを想像しがちですが、必ずしもそればかりではありません。なんでもかんでも性的な欲望に結び付けてしまうのはフロイトの特徴ですが、そこに納得いかない人もいるでしょう。

このフロイトの考えを批判的に発展させたのが、フランスの現代思想家ドゥルーズです。彼は精神分析家のガタリと共に、『アンチ・オイディプス』という本を書いています。まさにフロイトのエディプス・コンプレックスを意識したものです。ドゥルーズはこの本の中で「欲望機械」という概念を出してきます。

しかし、ドゥルーズのいう欲望は、フロイトの欠如の欲望とは異なっています。むしろドゥルーズは、欲望は無限に自らを生み出していくものとしてとらえるのです。

さらに、世の中に存在するもののすべてを、欲望する機械として把握していきます。だからここでいう機械というのは、私たちが想像するような、部品を組み合わせたあの通常の機械の意味ではなくて、すべてを包み込む生命のメカニズムとしてイメージされています。

物事を構成する各要素がつながって全体をつくり上げていくとき、その諸要素が一つの機械になるというのです。つまり、欲望機械とは、自分で自分を生み出していく自己産出のメカニズムにほかなりません。

そう考えると、欲望とは必ずしも悪いものではなくて、むしろ自分にとってもこの世の中にとっても、すべてを発展させていくためのエネルギーみたいなものなのです。ならば、大切なのはそれをいかに飼いならしていくかです。

実はこの点について、近世フランスの哲学者デカルトが、早くも欲望のコントロール法について論じていました。前にも触れた近代感情論の源泉ともいわれる彼の『情念論』です。彼はこういっています。「欲望の情念は、精気が引き起こす精神の動揺で、精神が自分に適するとみずから表象するものを未来に向かって意志するようしむける」のだと。

つまり、欲望は未来への意志なのです。自分の望むような状況を実現させたいという強い意志です。

したがってそれは、いいことやポジティブなことを望むだけでなく、同時に悪いことやネガティブなことを退ける意志でもあるわけです。デカルトも欲望にはこの両方の側面があるといっています。欲望は、善の追求と悪の回避という同一の運動であるというふうに。

この同一の運動というところがポイントであるように思います。

欲望はエネルギーであって、それをいい方向に向かわせるのも、悪い方向に向かわせるのも、私たちの意志次第なのです。

ここでデカルトが強調するのは、優れた意志としての「高邁《こうまい》」です。「高邁な精神」のあの高邁です。

デカルトによると、それは自由な意志決定ができることと、その意志を曲げないことを指しています。そうした優れた意志を持っている人のことを、徳のある人と呼ぶこともできるでしょう。徳のある人は、欲望をうまくコントロールできるのです。だから満足して生きられるわけです。

●欲望のエネルギーを向上心に変える

とはいえ、それは分かっていても、なかなかできないという人が多いと思います。そういう人は、欲望が強すぎるのだと思います。その場合は、一度意志を否定してみてもいいのかもしれません。これは近代ドイツの哲学者ショーペンハウアーが唱えていることです。

ショーペンハウアーは「世界は私の表象である」といいます。表象というのは、目の前に現われている世界のことで、現象といってもいいでしょう。しかもその現象はすべて私たちの意志によるものだというのです。つまり、世界は意志だということです。

こうした意志は、必ずしも人間の中から発するものではないので、根拠も目的も欠いており、人間にとって際限ないものになりがちです。だから人間の欲望というものはいつまでも満たされることがなく、生は苦痛に満ちたものとなるのです。

そこでショーペンハウアーは、意志の否定、いわば禁欲を説きます。この禁欲は、ショーペンハウアーが東洋思想に影響を受けたこともあって、仏教の宗教的諦念によってもたらされるものに似ています。たしかにそうすれば心がかき乱されるようなことはなくなるでしょう。しかし、あくまでこれは欲望が強すぎてコントロールできないときの話だと思います。

人間というのは困った生き物で、本当に出家したくなるくらい欲望があふれ出て困ることがあるものです。そういうときは意志の否定も有効かもしれません。

ただ、そうでない場合は、欲望はエネルギーですから、そのエネルギーをうまく正の方向に向けるようにコントロールすべきです。デカルトのいう高邁によって。

冒頭で告白したように、私も湧き上がってくる欲望に悩まされていますが、いつもそのエネルギーを向上心に変えて、自分に磨きをかけるそのプロセス自体に満足するようにしています。そうすれば、欲望はけっして欠如ではなく、人生における満足へと変わるからです。

孤独とは何か――「自分時間」を楽しむために

●人がたくさんいるから「一人」を感じる

コロナ禍で自粛生活を強いられたり、必然的に人との付き合いが減ったという人は多いと思います。私の勤務する大学でも、新入生がそのせいで孤独を感じているということが問題になりました。

私たちの日常を悩ませる原因の一つは、間違いなく孤独です。孤独以外の問題は一人で解決することが可能です。でも、孤独だけはそういうわけにはいかないのです。そこがやっかいなところです。

なぜなら、孤独というのは一人で寂しいと思う感覚ですから、誰かほかの人の協力なくしては解決することができないのです。少なくとも私たちはそう思っています。でも、本当にそうなのでしょうか?

孤独とは、一人で寂しいと思う感覚だと指摘しました。それは一般的にそう思われているだろうということです。ただ、哲学者たちは必ずしもそういう定義はしていません。たとえば孤独についてもっとも鋭い議論を展開していると思われる日本の哲学者三木清は、次のように表現しています。「孤独は山になく、街にある。一人の人間にあるのでなく、大勢の人間の『間』にあるのである」と。

つまり、孤独というのは、実は一人でいるから感じるのではなく、むしろ人がたくさんいるところにいるにもかかわらず、その人たちと距離を感じるときに生じるというわけです。ここでいう「間」とは、距離のことでしょう。物理的な距離ではなく、精神的な距離です。

したがって、必ずしも一人でいるから寂しいというわけではなく、大勢でいても寂しさを感じることがあるのです。いや、むしろそのほうが、寂しさが際立つのです。

私も経験がありますが、アメリカの大学に研究で滞在していたとき、パーティーの場でしばしばそんな感覚にとらわれました。最初のころはまだなじんでいなかったし、友だちもいなかったからだと思いますが、その場自体はにぎやかで、適当に話もしていたにもかかわらず孤独だったのです。

●なぜ哲学者たちは孤独を愛したのか

では、精神的な距離とは何なのでしょうか？　おそらくそれは、誰も自分を理解してくれないという不安のことなのではないかと思います。これも私の経験に根差しているのですが、いくら自分が主張しても、誰にも賛同してもらえず、孤立してしまう状況であるように思います。それは別に何か積極的に主張する場合に限らず、普通に日常を過ごす中でも生じ得ることです。

自分の進みたい道があるのに、誰も認めてくれないとか、よかれと思ってやったことが、誰からも評価されないといったような場合に。そんなとき人は孤独を感じるのではないでしょうか。

しかし、だからといって他者に迎合したり、自分の理想を押し殺すことが孤独を解消する道なのでしょうか？　もしそうなら、自分というものを捨てなければなりません。それは孤独以上につらいことなのではないでしょうか。無理にみんなと同じ意見を持ち、本当にやりたいことや、主張したいことから目をそむける。それでは生きている心地がしないのではないかと思います。

さらに問題なのは、そもそもそうした態度が望ましいのかどうかです。孤独が怖いからといって、誰もが理想を捨てるような世の中になったら、危険ではないかと思うのです。全体主義とまではいいませんが、少なくともみんなが間違っているような場合に、それを正す人はもういなくなってしまうからです。

だから私は、孤独であることはけっして悪いことではないと思っています。現に多くの哲学者たちが、孤独を讃《たた》えるような言葉を残しています。いくつか紹介しましょう。

たとえば、ドイツの哲学者ショーペンハウアーは次のようにいっています。

「人間は孤独でいるかぎり、かれ自身であり得るのだ。だから孤独を愛さない人間は、自由を愛さない人間にほかならぬ」

あるいは、スイスの哲学者ヒルティは、「ある程度孤独を愛することは、静かな精神の発展のためにも、またおよそ真実の幸福のためにも、絶対に必要である」といっています。かのニーチェも、「おお、孤独よ！　あなたは私のふるさとだ！　孤独よ！」と孤独を讃えているのです。

共通しているのは、孤独を愛することの必要性と、それこそが真理を追求することになるという点です。

●孤独をどう受け止めるかで人生は変わる

そういう孤独のプラスの側面をとらえて、孤高という言葉を遣う人もいます。孤高とは、超然とした態度で理想を追い求めることです。

たしかに、これは孤独の理想的な側面を表現し得ているように思えます。しかし、誰もがそんなに高尚な態度で日常を過ごすことができるわけではないでしょう。そこで私は孤高などといわずとも、ポジティブな孤独といえばいいのではないかと思っています。

孤独にもネガティブな側面とポジティブな側面があると思うのです。ネガティブな側面は、私たちが一般に考えているように、寂しい感覚にとらわれ、内にこもってしまうような態度です。

それに対して、ポジティブな側面というのは、あえて一人になることで、物事に集中し、一人の時間を楽しむことです。前述の三木清は、まさにそうした孤独のあり方についても論じています。

三木は、芸術に向き合うとき、人は孤独から解放されるといいます。たとえ一人であったとしても、何かに集中し、自分だけの世界をつくりあげているからではないでしょうか。たしかに無心で絵を描いているとき、周りの人など眼中にありません。ただ作品に向き合っているはずです。

これからは人生一〇〇年時代が到来するといいます。その長い人生の過程で、一人で過ごす時間も必然的に多くなることと思います。そうしたとき、孤独をポジティブにとらえられる人と、そうでない人とでは、人生の密度が変わってくるように思うのです。

もし孤独だなと感じたら、何かに集中すればいいのです。三木がいうように芸術作品を創作したり、鑑賞するのでもいいでしょうし、もっと誰でもできそうなこと、そう、本を読むのでもいいでしょう。要は自分一人の時間を、ポジティブなものに転換すればいいのです。

考えてみれば、自分の時間がとれるなんてすばらしいことです。私たちの時間は常に誰かが利用しようと虎視眈々と狙っています。詐欺や押し売りまがいのセールスに捧げる時間は言語道断ですが、会社に捧げる時間や家族に捧げる時間まで、それは時に私たちの意に反して奪われてしまうものです。ですから、孤独だなと感じたら、逆にラッキーだと思うくらいがいいと思います。やっと自分の時間が持てると。そうしてコロナ禍の孤独を力強く乗り切っていきましょう。

身体とは何か——ネガティブにならないために

●人間の身体は物と同じようなもの

皆さんは身体をいたわってますか？　心を病む原因の多くは、身体に起因しているといっても過言ではありません。私もやる気が出なかったり、ネガティブになったりするのは、たいてい疲れがたまっているときです。身体の疲れが。でも、よほど病気にでもならない限り、なかなかそのことに気づかないのです。

人間は考える動物です。その意味では、フランスの哲学者デカルトが近代の初めに宣言したとおりです。「我思う、ゆえに我あり」。つまりこれは、人間の本質が意識にあるということです。

現にデカルトは、意識と身体を切り離し、しかも身体を物と同じ存在であるかのように扱ってしまったのです。「心とは何か」でも紹介した、いわゆる「心身二元論」という問題です。

しかし、そうやって意識中心に物事を考え始めると、どうしても身体がなおざりになってしまいます。身体のほうがほったらかしになるのです。そして気づいたときには、病気になっているとか、心に大きなダメージを及ぼすまでに至っていることがあります。

したがって、まず私たちがやらなければならないのは、身体の意義を見直すことです。

●身体が意識より先に反応することもある

そこで参考になるのが、フランスの哲学者メルロ＝ポンティの身体論です。

メルロ＝ポンティは二十世紀の人ですが、デカルト以来はじめて本格的に身体について論じた哲学者だといっていいでしょう。

彼はまさにデカルトの心身二元論を乗り越えようとしたのです。そして、自己の身体の経験は、意識でも物質でもない「両義的な存在の仕方」だといいます。

たしかに、身体は意識とつながっています。だからこそ身体が熱いものに触れると、意識が熱いと感じるのです。そうするとつながっているとはいえ、身体はまるで意識に支配された物質のようにも思われます。でも、逆に私たちの身体が意識よりも先に反応することだってあるのです。

メルロ＝ポンティは幻影肢の例を紹介しています。たとえば事故で右手を失った人が、それでも無意識に右手で物をつかもうとしてしまう現象のことです。

この時、無いはずの右手がかゆみを感じることもあるといいます。これは意識ではなく、右手につながる神経がそう感じているのです。

●身体は意識と世界をつなぐ媒体

よく考えてみれば、私たちが何かを感じるのは、常に身体をとおしてです。だから本当は身体が先に何かを経験しているのです。もっというと、身体の経験したことしか私たちは知り得ません。

その意味では、身体は意識と物質の両義性を超えて、むしろ意識と世界をつなぐ媒体であるともいえるのです。

そこでメルロ＝ポンティも、身体が持つこのような意義に着目しだします。晩年彼は「肉」というユニークな概念を唱えました。

肉といっても、食べる肉や私たちを構成する筋肉のことではありません。それはこの世界のすべてを織りなす生地《きじ》のようなものです。すべてを生みだす培養地といってもいいかもしれません。

メルロ＝ポンティは、「私の身体は世界と同じ〈肉〉でできている」といいます。つまり、人間は世界のあらゆるものと一体の同じ存在だということです。このことを実感するには、右手で左手に触れてみるとすぐ分かります。右手が左手に触れるとき、右手が左手に触れるという感覚と、左手が右手に触れられるという感覚の二つを持つことができます。

実はこの感覚は、他者やモノに対しても持つことが可能なのです。触れる右手と触れられる左手がつながっているように、私たちが何か物に触れるとき、その物と私たちはつながっているのです。

世界はすべて一体の何かからできており、つながっているわけです。いわばその「一体の何か」がここでいう「肉」にほかなりません。

ちなみに、この「肉」という言葉は聖書に由来します。聖書の世界では、人間は肉を分かち持つという趣旨の表現が多く見られます。

●レンズが曇れば景色も曇って見える

こうして世界のすべては、一つの同じモノを別の形で表現したものにすぎなくなります。その時、「私が世界に存在するものの各々の差異を認識するのは、私の身体を媒介にして」ということになります。ここにおいて身体の持つ意義は大きく変わってきます。「私にとっての身体は、単にそれが私の身体であるという意味を超えて、世界と私をつなぐ媒介物」として再定義されるわけです。

このようにとらえると、必然的に身体を重視するようになるのではないでしょうか。なぜなら、身体の疲弊は、世界を認識する力を弱めてしまうからです。ましてや身体が機能不全に陥ると、世界とのチャネルが切断されてしまいます。

身体が疲れていると、物事をネガティブに考えてしまうのはそのためです。曇ったレンズで外を見ても、曇った景色しか見えません。二日酔いの朝、まぶしい太陽の光は自分を苦しめる拷問にしか思えません。

だから身体をいたわらないといけないのです。

ポジティブになるためにレンズを磨き、体調を整える。これが美しい景色を楽しみ、太陽の光に喜びを感じるための条件です。世界を素晴らしい場所としてポジティブにとらえるための方法なのです。

●身体を健康にすれば、心も健康になる

たしかに世の中にはいろいろな問題があります。人生はけっして楽ではありません。ただ、そんな中でもポジティブに生きられる人とそうでない人がいるのはなぜでしょうか？　同じすさんだ世界を見ても、よしやってやると思える人と、もうだめだと思う人がいるのはなぜでしょうか？

それは自分の側が違うからです。自分の身体が違うからです。

ポジティブになるためには意識を変える必要がある。私たちはそう思いがちです。でも、それだけが唯一の方法ではないのかもしれません。もしかしたら、身体を変えるだけで、身体を少しでも健康な状態にもっていくだけで、ポジティブになれるのではないでしょうか。

それに、意識を変えるのは大変ですが、身体を変えるのは比較的簡単です。しっかりと睡眠を取って、規則正しい生活をし、きちんと栄養を摂り、適度な運動をする。それだけのことです。誰しも何らかの病気を抱えていたり、突然病気にかかったりします。それは仕方がないことです。だからといって、何もできないことはないはずです。

ほんの少しでも身体をいたわってやることができれば、あなたにとって世界はその分、

素敵なものになるに違いありません。
「健康第一」ではなく、本当は「身体第一」なのです。

休養とは何か——生活に息切れしないために

●「休みます」でいいはずなのに……

　昔日本が右肩上がりの成長をしているころは、皆必死に働いていました。それこそ土日返上で。では、成熟社会を迎えつつある今はどうか？　二〇一九年に行われた十九か国を対象とした有給休暇の取得率に関する調査によると、日本は最下位でした。つまり、相変わらず土日返上で必死に働いているのです。

　コロナ禍もあって働き方改革が多少加速し、今は少しましになっているかもしれません。でも、ついこの前まで過労死で企業が訴えられるケースは後を絶たず、過酷な労働を強いるブラック企業という言葉が頻繁にメディアに登場していました。最近はテレワークでオンとオフの境目がなくなり、逆に過重労働になっているという話も聞きます。

　結局、経済が縮小しようが、国家が成熟しようが、この国の労働のあり方はあまり変わらないということです。その背景には、日本人全体が共有する集団的な強迫観念が横たわっているように思えてなりません。いわば「休むことに対する罪の意識」です。

日本の組織では、休みを取るときに「お休みをいただきます」という表現を使う傾向がありますよね。「休みます」ではないのです。本当は労働者としての自分の権利ですから、「休みます」でいいのですが。

ところがなぜか、「お休みをいただきます」とへりくだる必要があります。そういわないといけない雰囲気があるのです。それは、皆が休むことを罪だと思っているからです。まずその認識を改める必要があるでしょう。

●精神が休まなければ休みの意味はない

人間は休んでいいどころか、休まなければならないのです。なぜなら、人間は生き物ですから、機械と違って、休まないとパフォーマンスが落ちます。そのような状態では、求められる仕事をすることはできません。したがって、むしろ休まないことにこそ罪の意識を感じるべきなのです。その意味で、部下が休みやすい環境を作れないような上司は失格です。売り上げさえよければマネジメントができているなどという考えは大間違いです。

では、休むとなぜパフォーマンスが上がるのか？　もちろんそれは身体を休めることができるからですが、それだけではありません。なんといっても精神を休ませることができるからです。いくら身体を休ませることができても、精神が休まらなければ、無意味だといってもいいくらいです。

皆さんもそんな経験はありませんか？　せっかく休んだのに、気持ちが落ち着かなくて、休んだ気がしなかった、というような経験が。

だから仕事で気がかりなことがあるときは、それをすっかり忘れる必要があります。あるいは、どうしても無理なときは、先にその仕事に目途をつけてから休みに入るなどの工夫をしたほうがいいでしょう。

そもそも、休日だからといって、ずっと家の中でじーっとしているわけではないと思います。どこかに出かけたりして、身体的には疲れることもあるでしょう。でも、それでリフレッシュすることができるのです。なぜか？　精神はしっかりと休めることができているからです。その意味で、楽しむ休日もくつろぐ休日も同じなのです。

「休み」の目的は心を落ち着かせること

そのことは哲学の世界でも明らかになっています。精神を安定させる方法には二種類あるのです。一つはエピクロス派のいうアタラクシア、もう一つはストア派のいうアパテイアです。この二つの哲学の一派は、古代ギリシア崩壊後、ヘレニズム期に台頭してきたものです。両者とも、混乱の時代をいかに心を落ち着かせて生きるかを考えた思想だといえます。

ところが、一見両者の思想は対照的です。エピクロス派のほうはエピクロスによって創始されたもので、一般的に快楽主義とされます。ただ、この快楽は放蕩者《ほうとうもの》の官能的快楽ではなく、肉体において苦しまないことであり、また魂において混濁しないことだというのです。

つまり、けっして心躍《こころおど》るようなワクワクドキドキの快楽ではなくて、心から動揺をとり除くことで、落ち着いた境地を実現することを意味しています。この心の状態がアタラクシアにほかなりません。

他方、ストア派のほうは、ゼノンによって創設され、ローマ時代のマルクス・アウレリウスに至るまで長く存続しました。彼らの思想の特徴は、世間的な価値を蔑視し、自然に従って生きることをすすめる点にあります。ストア派にとって、究極の価値は大宇宙の自然に従って生きることだ、というのです。

したがって、情念や欲情に支配されないで超然として生きる禁欲主義を理想としました。彼らが理想とする心の状態アパテイアが、「パトス（情念）がない」という意味であるのもよく分かります。ちなみに、スポーツなどでよく使うストイックという言葉は、このストア派に由来するものです。

このように、エピクロス派のいうアタラクシアもストア派のいうアパテイアも、いずれも心の平穏を意味する言葉なのです。先ほど、楽しむ休日もくつろぐ休日も同じだといったのは、いずれも心を落ち着けることが目的だからということです。

●時に立ち止まる。それは人間の運命

人間にとって精神の休息が不可欠だということは、これでよく分かっていただけたかと思います。もっというならば、精神の休息の可能性こそが重要なのです。あと少し頑張れば、確実に休息が得られるという気持ちが、私たちを楽にします。いわば休日はユートピアなのです。かつてトマス・モアが提案したあのユートピアです。

モアは、古代ギリシア語の「どこにもない」という語と「場所」を表す語をくっつけて、ユートピアという言葉を生み出しました。ですから、ユートピアとは現実には存在し

ない理想の場所なのです。でも、そのおかげで、人は理想を求めて生きることができるのです。

休日、リゾートに行こうとする人が多いのは、ユートピアに憧れているからではないでしょうか。本当はリゾートに行っても、人が多かったり、子どもがぐずったりして、疲れることが多いのですが、少なくとも働いているときは、そこに理想を見ます。そして頑張るのです。

普段の一週間も同じでしょう。理想の週末を夢見て頑張るのです。休日があると思えるのとそうでないのとは大違いなのです。こうした気持ちで頑張り続けるためには、「休める詐欺」ではいけません。本当に休まないと、もう次回から理想を信じられなくなってしまいますから。

そして実際に休んだときには、遊び倒してもくつろいでもいいのですが、心のリセットだけは忘れないようにしていただきたいと思います。精神を落ち着けるというのは、仕事モードの心をリセットして、休日明けに落ち着いて事に当たれるようにするということです。走り続けることを運命づけられた人間には、時に立ち止まることが求められるのです。そうでないと息切れしてしまいますから。

健康とは何か――元気に生活していくために

●神のごとく世界を支配している「気」

人生一〇〇百年時代といわれます。だからでしょうか、最近健康を意識する人が増えているように感じます。かくいう私もついに（文字どおり）重い腰を上げて、二年ほど前に運動と食事制限を始めました。それまでは毎年メタボの診断を受けていたのですが、結局十数キロの減量に成功し、ようやくあの後ろめたい気分に別れを告げることができました。

ちょっとやりすぎたかもしれませんが、元がひどかったので、余分なものがすぐ落ちただけです。筋トレもしているので、けっしてやせ衰えたわけではありません。身体もとても軽くなりました。

ということで、私も当事者として語らせていただきたいのですが、健康とは一言でいうなら自信だと思います。生きていくうえでの自信です。自信がある人の反対は何か？　それは自信がない人、つまり不安にさいなまれている人です。

たしかに不健康だと不安でしょう。逆に、健康で元気になるとその不安が払拭《ふっしょく》され、自信が出てくるというわけです。

中国哲学では、古くからこの「元気」の概念について論じています。

気というのは、人の息や自然現象としての大気のような、空気状のもの一般を指すわけですが、さらにはそれが、人体や世界を構成する素材としてとらえられるようになります。

とりわけ人体にとっては、気は生命力の根源でさえあるとされたのです。

たとえば道教では、多様な気の元になる根源として、元気という概念によって万物の生成を説いています。気を通じて神と一体となることができるというのです。

気はまさに神のごとく世界を支配する力でもあるのです。

●元気になればなんでも支配できる

実際、気の思想の起源は、周王室の史官らが、王がきちんと国を支配するために生み出した理論だという説があります。

つまり、王の行いが悪いと天地の気の秩序が乱れて災害が起き、国が衰えると説いたのです。

元気になればなんでも支配できる、少なくともそうした自信が湧いてくるということです。だから私は日々運動を続けることにしたのです。

おまけに、運動ができるということは、それ自体が自信につながります。走りきったという自信、身体をしぼったという自信、目標を達成したという自信、継続したという自信等々。どれか一つでもいいのでしょうが、幸い私の場合このいずれも得ているので、今自信に満ちあふれています。

●身体を鍛えれば頭も心も磨かれる

人間は身体を持った生き物なので、身体を動かしたり、身体が成長するということは、そのまま生命力の強さにつながるのです。もっとも、健康といった場合、必ずしも身体の話だけではありません。

古代ギリシアの哲学者アリストテレスは、身体は魂のためにあるといいます。したがって、身体を鍛えれば魂も磨かれます。そこがつながっていないと、いくら身体を鍛えても、魂は元気がないというアンバランスな形になってしまいます。私は、この場合の魂には頭と心の両方が含まれると考えています。

頭の健康というのは、物事をはっきりと考えることができるということや、物忘れをしないといったことです。そのためには、やはり日ごろから頭を使う習慣を身に付けておくことでしょう。

しかし、頭を使うのは疲れます。ですから、ついさぼってしまうのです。特に今の時代はインターネットがありますから、なんでも検索すればいいやということになりがちです。でも、それでは頭はどんどん退化します。久しぶりに物事を考えたとき、知恵熱が出たなどと冗談をいいますが、あれは本当です。

そこで頭を鍛えることを提案したいと思います。

認知症の予防にドリルが有効なようですが、もっと楽しい頭の使い方があります。それは哲学です。物事の本質を考えるのはとても楽しいことです。愛ってなんだろうとか、健康ってなんだろうというふうに。

私が主宰している「哲学カフェ」では、みんなでこんなことを考えて頭を使っているので、より楽しい時間が過ごせます。実際、頭を鍛えることを目的に参加している人もいます。冗談か本気か「ボケ防止に来てます」という高齢の方もいらっしゃいます。人の話に耳を傾け、また他者から意外な質問を投げかけられ、頭を働かせるというのは、学校を卒業すると貴重な機会になるようです。いや、学校でもそういう機会があまりないのが現状ですから、若い人にとっても貴重だといえるかもしれません。

そしてなんといっても大事なのは心の健康です。身体が健康で、頭もしっかりしていたとしても、心を病んでいては健康とはいえません。つまり、常に前向きでいることの大切さです。

●三つすべてのコンディションを整える

結局人は、身体、頭、心、この三つのいずれもが健康になるとき、はじめて本当の意味で自信を持ち、元気に生きていくことができるのです。

そういうと面倒に思う人もいるかもしれません。三つも健康にしないといけないなんて。

ＡＩならせいぜい頭の部分がしっかりしていればそれで十分でしょう。そもそもＡＩに健康という概念があるのかどうか分かりませんが。

でも、これが人間の素晴らしさだと思うのです。身体や心があるから、健康を重視します。そしてそれを得たときに、えもいわれぬ充実感や幸福感を覚えることができるのです。健康は得難いものであるがゆえに、貴重なのです。私たちはまずこのことをよく認識する必要があります。健康が当たり前ではないということです。

身体、頭、心の三つすべてのコンディションを整える。どれか一つでも大変なことなのですが、その条件が整ってはじめて可能になるわけです。

逆にいうと、健康でないからといって落ち込む必要はありません。できるだけ健康になるように一歩一歩進んでいけばいいのです。

この場合、身体、頭、心の三つの要素があるということは朗報です。なぜなら、なんらかの病気のせいで身体が健康でない人も、頭を鍛えるとか、心を前向きにするとか、ほかの要素を高めることで、総合点で健康になることは不可能ではないからです。

その点では、哲学も人を健康にするために大きな役割を果たせることになります。哲学をして頭がすごく鍛えられれば、それだけで頭に関する要素はかなり健康ということになります。もちろんそれ以外の身体と心はまったく不健康というのでは困りますが、少しは救いになるのではないでしょうか。

睡眠とは何か——明日を充実させるために

●日本人の成人の約二割は慢性的不眠

皆さんはよく眠れてますか？　眠れないときは何をしますか？　本を読んだり、音楽を聴いたり、あるいは最近だとYouTubeを見るという人も多いように思います。私もよく見ています。面白いのはいいのですが、逆になかなか眠れないのが難点です。

ある調査によると、日本の成人の約二割が慢性的な不眠に悩んでいるといいます。そのせいで心身に負の影響を及ぼしているのです。

睡眠と心身の健康には、密接な関係があります。私もよく寝ないと翌日まったく動けません。身体はだるいし、頭は働かない。おまけにネガティブになってしまうというトリプルパンチです。ですから、睡眠だけは何よりも重視するようにしているのです。

ところが、困ったことに睡眠障害気味なのです。どうしても夜うまく眠れません。哲学を生業《なりわい》としていることもあって、考えごとが多いからかもしれません。布団に入ってもまだ頭が活性化しているのでしょう。

それでも寝ないと翌朝授業があったりしますので、目を閉じて頑張ります。そんな時に役立つのが、フランスの哲学者アンリ・ベルクソンの思想です。

●関心を少なくすれば眠れるようになる

ベルクソンは、「人は無関心になる程度に応じて眠るのだ」といっています。ベルクソンによると、寝ているときも人は思考しているというのです。だから夢の中に現実の音や光が入ってくると、それについて考えてしまうわけです。

たとえば、自分が講演している夢を見ている際、外で犬が吠えると、あたかもそれが「追い出せ！」というセリフとして聞こえるといいます。英語だと犬の鳴き声は「バウワウ」ですから、これが「アウト、アウト（追い出せ、追い出せ）」と聞こえるのでしょう。

起きているときは自分が意識して関心を持つ情報が多いわけですが、寝ているときはそれが少なくなります。目を閉じていますから。でも、情報のインプットによって思考が働くというメカニズム自体は同じなのです。

そこでベルクソンは、逆に関心を少なくすれば眠れると主張します。具体的には、目を閉じて、音と光を消して、何も考えないようにすればいいのです。もちろんYouTubeも切って。

●眠れない時間は神からの賜物のようなもの

無関心の極致は何も考えないことですから、寝ようとさえ思わなければ、そのうち眠っているはずです。とはいえ、何も考えないというのはそう簡単ではありません。禅の修行でもしないと無理でしょう。

その点、スイスの哲学者カール・ヒルティは、まさに睡眠に悩む人のためにいい本を書いてくれています。その名も『眠られぬ夜のために』です。彼はこういいます。「眠られぬ夜をもなお『神の賜物』と見なすのが、つねに正しい態度であろう」と。

ここでヒルティがいっているのは、眠れないのはもう仕方ないので、その時間を有効に活用しようということです。それは神の賜物のごとく貴重な時間なのだと。

実際、眠れぬ時間に自分の生涯の決定的な洞察を見出した人はたくさんいるといいます。

ただし、それを有効な時間にするためには、次のような条件があります。「善良な行為、確固たる良い計画、ざんげ、改心、他人との和解、将来の生活のための明瞭な良い決意」です。つまり、まず自分に話しかけてはいけない、次によい書物によって精神を正しい慰めの泉に向かわせる。そして最上の方法は、いいことについて決意することです。

●とりあえずポジティブな決意をする

不眠の人には、仕事や生活の中で「何かしらの人生の課題」が迫っているのでしょう。でも、本人はそのことに気がついてないので、「無意識」が本人に対して、自分に向き合うことをリクエストしてきているのです。

ヒルティはその課題に向き合うために、まず「自分に話しかけない」ようにせよというのです。

もちろんこれは、自分に向き合わないという意味ではありません。そうではなくて、自分との会話ばかりしていると堂々巡りになって、ついネガティブなことを考えやすいからダメだというのです。

そうならないためには、自分が知っている「善良で前向きな人」を思い浮かべ、その人にいろいろと自分の課題を相談するといいということです。よい本もそうした相談相手になり得ます。

そして最後は「いいことについての決意をする」。自分の課題に向き合った際、なるべくポジティブな決意をするということです。

それでようやく安心して眠れるというわけです。そんなに都合よく決意できないと思うかもしれませんが、また考え直せばいいのです。とりあえずその晩はポジティブに終わっておきましょう。

結局課題が気になっているままでは、それが無意識であったとしても、何をやっても眠れないからです。根本的なことを解決しない限り、対処療法にとどまるのです。

●睡眠はその日をリセットする儀式

ちなみに、お酒を飲んで寝ようとする人が結構いますが、ヒルティもアルコールはかえって有害だと書いています。何より翌朝がつらいですよね。

私は睡眠薬が苦手なので、お酒に頼ろうとしていた時期がありますが、やはり朝がつらくなっただけでした。

それなら夜に軽い運動をするほうがいいと気づき、最近はそのおかげで割と早く眠れています。

しっかりと眠ることで気力も体力も回復し、翌日を元気に過ごすことができる。これが理想です。睡眠は毎日をリセットするためにあるからです。

朝から頑張ってエネルギーを使う。それによって最高のパフォーマンスをするのです。そしてエネルギーを使い果たしたら、ぐっすり眠る。その繰り返しが健康的な人生にほかなりません。毎日をきちんとリセットできずに、前日の不安や疲れを持ち越しているようでは、一日を充実したものにできませんから。

近頃私は、人間というのはその日一日を生きるためだけにできているように感じています。だから過去とか未来に対する不安があっては、その日を生きるためにマイナスになるのです。

余計なことが気になると仕事に集中できませんし、そのせいで夜眠れずに生活リズムが狂うということにもなりかねませんから。

睡眠による毎日のリセットは、そんな「その日だけを生きる人間なる生き物」にとって、不可欠の儀式だといっていいでしょう。

美とは何か——自分に自信を持つために

●なぜアンチエイジングをしたがるのか

皆さんはいつまでも美しくありたいと思いますか？　それはそうですよね。性別を問わず、人間は美を求める生き物です。だから特に若いうちはファッションにこだわったり、メークや髪型を気にかけたりします。

私も中学のときはおしゃれに凝っていて、なかなか髪型が決まらなくて遅刻をしたことすらあります。ムースやスプレーを使って整髪していました。

いや、若い人だけではありませんね。年を取っても皆アンチエイジングをしようとする。白髪を染めたり、シミ取りをしたりと。美を失うと、まるで健康まで失ってしまうかのように。たしかに、生命力と美には相関性があるように思います。バラの花も枯れると美しさを失ってしまいます。

ファッションも化粧品もエステもアンチエイジングも、美が巨大産業になるのはよく分かります。そうしてみんながこぞって美を求めると、自分が負けてしまうような気になって、必死になって競ってしまう。これぞまさに資本主義の原理です。

でも、はたして人間の場合も生命力と美に相関性があるのでしょうか？　私はけっしてそうは思いません。年を取っても美しい人、かっこいい人はいます。少なくともそういう価値観を持たないと、老いる運命にある人間にとって、美を失うことが健康を失っていくイメージにつながりかねないからです。

●美とは「快・不快の感情」で判断されるもの

でも、それが先入観であることはよく考えてみたら分かるはずです。けっして美しくなくても健康な人はたくさんいます。逆に美しくても健康でない人はいるのです。心身共に。

では、いったいなぜ人は美を求めるのか？　これについては、古代ギリシアのプラトンが次のように説明しています。つまり、人間は理想を求める存在だというのです。そして理想の究極とは完璧なものです。したがって、美を求めるのも完璧なものを求めるからだということになります。

そんなことをいうと、自分の好きな美は完璧とはいえないと思う人もいるかもしれません。たとえば、完璧な美人や美男子よりも、少し特徴のある顔のほうが好きな人もいるでしょう。

それでも、その人なりの美を求めているのです。実は美というのは人によって異なるのです。

人が美を感じる仕組みについて明らかにしたのが、ドイツの哲学者カントです。少し複雑なので、詳しく説明したいと思います。

まず美の判断はほかの物事とは違って、特別なものだといいます。ほかの物事は、大きいとか小さいとかいったように理屈で判断できます。たとえば、ヒマワリの花とタンポポの花を並べて、どっちが大きいかと問えば、誰もがヒマワリだと答えるでしょう。

これに対して、ヒマワリとタンポポどっちが美しいかと問えば、答えは分かれるはずです。これは、美というものが純粋に快・不快の感情で判断されるものだからです。

●美の判断は個人の感覚に委ねられている

快とは、意に適《かな》っているという意味です。何の意か？　カントは何の意でもない、といいます。つまり、何の目的もないのに、目的に合っているかのように感じるのが快なのです。

そこには何の目的も利害もないという意味での無関心性が求められるのです。

美しい教会も、キリスト教の教義に照らして美しいと判断するとき、誰もが美しいとは感じられなくなってしまいます。キリスト教が好きではない人は、否定的に見るかもしれません。でも、純粋に「いい」と思うかどうかなら、そういう人でも「いい」と思う可能性があるということです。

そのように考えると、人がいいと思うかどうかは、個々人の感覚に委《ゆだ》ねられているわけです。何の基準もないのです。だから美はそれぞれということになるのです。おそらくその人の人生経験、文化的背景などによって決まってくるのでしょう。

自分の顔に似た人を美しいと思う人が結構いるのですが、知らず知らずのうちに見慣れた自分の顔に影響を受けているのかもしれません。

●外見の美だけでは人間の美は決まらない

面白いのは、それでも私たちは自分が美だと思うものを、人にも認めてもらいたがるという点です。だからこそメークをしたり、服装に気を遣ったりするのです。「ねえ、きれいだと思わない？」というふうに。

美の意識は人によって異なるのに、どうしてみんなが同じようにいいと思ってくれるなんて勘違いをするのでしょうか？　それはカントにいわせると、誰もが同じ仕組みで美を感じているため、みんな同じように感じているはずだと思ってしまうからです。

もちろん、多くの人が評価する芸術作品は存在します。ただそれは、理屈を聞いて、他者の気持ちになって見ているからです。自分の経験からだけ判断しているのではなく、本で読んだり、人から話を聞いたりして、「いい」という前提のもとに見ているから、「いい」と思えるだけなのです。

ピカソのことを何も知らない人に、ピカソのキュビスムのゆがんだ絵を見せたとしたら、本当に美しいと感じるでしょうか？　実際、最初は醜悪だと批評されました。ゴッホが評価されたのも亡くなってからです。美とはそんなものなのです。

ですから、私たちは美に振り回される必要などないのです。自分がいいと思う生き方をすればいいのです。

白髪を染めるのをやめて、逆に美しいといわれるようになる人もいます。きっとそれは、外見だけではない何かが、周囲の人の感情を揺さぶったのでしょう。これぞ快だと。人間の場合、それは内面の美しさであるように思えてなりません。心の清らかさ、真の勇気、潔さ、強さ、優しさ……。そういったものがにじみ出ているとき、私たちは外見にとらわれることなく、快を覚え、美しいと感じるのではないでしょうか。

誤解しないでいただきたいのは、だからといって外見の美にこだわるのが間違っているといいたいわけではないという点です。私だって中年の男なのに、やはり外見の美にこだわっています。

今、美容整形に対する賛否がありますが、先ほども書いたように、美を求める気持ちは理想を求める気持ちなので、なんら否定すべきものではないのです。

私がいいたいのは、外見の美だけで人間の美が決まるものではないということです。もっというなら、内面の美だけでも人間の場合は美になり得るということです。

外見の美は、内面の美があってはじめて美として意味を持つような気がしてなりません。

PART2

価値観が衝突する時代の仕事と余暇を哲学する

時間とは何か――時間に追われず毎日を送るために

●時間を飼いならせなくなった現代人

皆さんは長時間労働をしていませんか？　日本では、長時間労働が深刻な社会問題となってきました。そこで政府もようやく重い腰を上げ、働き方改革関連法の中に、長時間労働の是正策を盛り込むに至ったわけです。具体的には、残業を月一〇〇時間未満に抑えるというものです。そこにたまたま新型コロナウイルス問題が発生し、テレワークが増えたことで、一見長時間労働は減ったかのように思われます。

しかし、現実には家で仕事をすることによって、逆に働く時間が増えてしまったという人もいます。昨今広がりつつある裁量労働や副業あるいは複業も、長時間労働につながりかねません。

長時間労働の何が問題かというと、睡眠時間が少なくなり、それによって心身の疲れが蓄積してしまうことです。心身の疲れが溜まってくると、うつ病のリスクも高まります。

その結果、最悪、過労自殺ということにもなりかねません。残業一〇〇時間が「過労死ライン」と呼ばれるゆえんです。時間に追われて死んでしまうなんて！

本来、時間は私たちの生活を有意義なものにしてくれるツールのはずです。だから時間という概念が生み出されたのです。

単純に考えても、時間があるおかげで、人と待ち合わせをすることができますし、何より物事のやりすぎを防ぐことができます。お風呂に何時間も入っていたら、のぼせるでしょう。だから時間を決める。その意味では時間はとても便利なものなのです。私たちが飼いならしているうちは。

ところが、皮肉にもその便利なはずの時間に追い立てられ、苦しめられている。私たちは、いったいいつから時間をきちんと飼いならせなくなってしまったのでしょうか。

そもそも時間とは何なのか？　時間を哲学することで、この問題に迫ってみたいと思います。

●流れていく時間と心の中にある時間

哲学の世界には、大きく分けると二つの時間のとらえ方があります。

一つ目は、古代ギリシアの哲学者アリストテレスが唱えたように、時間を流れる運動とみなすとらえ方です。時計はまさにそうした時間の観念を目に見える形にしたものです。もう一つは、中世の哲学者アウグスティヌスが唱えたように、時間を人の心の中にあるものとみなすとらえ方です。彼は、人間の心が今を起点に過去、現在、未来という三方向に延びていくイメージを描きました。つまり、私たちにとっては、本当は今という時間しかないのだけれども、過ぎ去ったものを記憶することで過去という時間が生じ、今の瞬間を感じることで現在という時間が生じ、これから起こることを期待することで未来という時間が生じるというわけです。

こうした時間は時計にはきっちりと表現されません。どちらかというと、心の中の感覚のようなものです。これをもっと発展させた時間の観念が、フランスの哲学者ベルクソンの唱える純粋持続だといえます。

●「命は時間そのもの」と考える

純粋持続というのは、簡単にいうと意識の流れのことです。私たちの心の中に溶け込んだ時間といってもいいでしょう。同じ時間を過ごしても、人によって長く感じたり、短く感じたりすることがありますが、まさにこれが純粋持続です。皆さん自身も、場合によって時間の流れ方が違うように感じることがあるはずです。楽しい時間はすぐに過ぎ去りますが、退屈な時間はなかなか過ぎ去ってくれません。

私たちはこの世に存在する限り、この意識の流れを感じ続けるのです。だからドイツの哲学者ハイデガーは、存在とは時間にほかならないと主張しました。普段はそんなこと思いもしないかもしれませんが、死を意識すると、人は自分の存在を時間の長さと結びつけるようになるのです。あとどれだけ生きられるのだろうかと。

そうやって自分の命が時間であることを意識するようになるのです。ここで先ほどの問いに立ち返りたいと思います。私たちはいったいいつから時間を飼いならせなくなったのか。

自分の命が時間であることを意識した人は、時間を大切に使うようになります。それまで時間に追われて生きてきた人も、命のために時間を大切にしたり、家族との時間を重視し始めたりするのです。つまり、時間を飼いならし始めるのです。時間が主なのではなくて、自分こそが主だと。

このように考えると、自分の存在を軽視するから、人は時間を飼いならせなくなってしまうように思えてなりません。自分がここに存在するのはなぜか、なんのためなのか、それをよく考えれば、もしかしたら時間よりももっと大切なものが見えてくるのではないでしょうか。

●時間を削るのは、命を削るのと同じこと

いくらやりがいのある仕事でも、いくら重要な仕事でも、自分の存在よりも大事なものはないはずです。死んでしまったら元も子もないのですから。時間がやっかいなのは、それが永遠にあるかのように勘違いしてしまうことです。時計を見ているだけだと、時間はただぐるぐる回っているだけのように見えます。だから働きすぎても、また取り返せるように思ってしまうのです。長時間労働をしても、いつか減らせばトントンになるだろうとか、いつか休めばいいというふうに。

あるいは、睡眠が少なくても、いつか寝だめすればいいとか、引退したらどうせ寝る毎日だとか。特に若いうちはそう思いがちです。ある程度体に無理がききますから。でも、それは間違っているのです。時計は時間の一つの見方にすぎません。

すでにお話ししてきたように、時間とは存在と同義なのです。ですから、時間を削ると

いうことは、命を削っていることと同じです。削られた命は、そう簡単に取り戻せません。取り戻す前に死んでしまう可能性だってあります。

だから私は、時間をぐるぐる回るだけの時計のイメージではなく、「鶴の恩返し」の鶴の羽のようにとらえるべきだと思うのです。

あの物語では、助けてくれた男のために、恩返しとして鶴が自分の羽を使って布を織りますね。そうとは知らない男は、次々と鶴に布を織ってくれと頼む。しかし、それは鶴の体を確実に蝕《むしば》んでいたのです。結局、鶴はいなくなってしまいました。

私たちの日常でいうと、この男は私たちの意識、そして鶴は私たちの体です。自分の体を蝕んでいるとは知らずに、羽をむしり続ける自分自身の意識。時間を使う際は、体の一部をむしり取る覚悟が必要なのです。

長時間労働は絶対にやめなければなりません。気づけば私たち自身がこの世から消えてしまうなんてことのないように……。

仕事とは何か──自分と他者を幸せにするために

●異常な働き方に気づいた日本人

昨今、仕事をめぐって大きな議論が巻き起こっています。前項でも触れたいわゆる働き方改革に関する議論です。会社や国家はもちろんのこと、おそらく家庭でも皆議論をしているのではないでしょうか。

お父さんはいつも子どもが寝てから帰ってくる。お母さんはパートで夕方までいない。そして家事は基本的にお母さんがやる。これまではそんな光景が当たり前でした。でも、それが異常であることにようやく気づいたのです。メンタルヘルスを損なう人や過労死する人が増えてきて、ようやくです。

とりわけ人生一〇〇年時代、誰もが働き続ける社会を目指すのなら、みんなが無理なく働ける仕組みを作らなければなりません。そこで、国も企業も重い腰を上げたのです。具体的には、長時間労働を改め、きちんと休暇を取ることが中心になります。そもそも日本人は、なぜ長時間労働や休みを取らないことを当たり前だと感じてきたのか、そこが問題です。

一言でいうと、それは少なくとも封建時代からの美徳だったからです。御上や雇用者に忠誠を尽くす。それが美徳として求められたわけです。滅私奉公というスローガンがそのことを物語っています。自分を犠牲にしてでも、組織のために尽くす。それが正しい働き方だったといっていいでしょう。そのＤＮＡともいうべきスローガンは、封建時代が終わっても、近代の西洋へのキャッチアップ、そして戦後の経済成長期においても引き継がれ、つい最近まで疑うべくもない常識とされてきました。

日本では常識を疑う人はいません。だから変わらなかったのです。過労死する人が出ても、「仕方ない」とか「名誉の戦死」的な、海外から見れば異常としか思えない反応を示してきたのはその証拠です。

●量的な変化ではなく、質的な変化を

しかしコロナ禍の影響もあって、今それが大きく変わろうとしているのです。問題が行き着くところまで行き着いた後ですから、遅きに失するのですが、そうとばかりもいって

いられません。なんとか前向きに変わっていく必要があります。

問題は、どう変わるべきかです。オフィスワークであろうとテレワークであろうと、長時間労働をやめて、きちんと休暇を取る。それだけなら、ある意味で簡単な話です。長時間働くことを禁止し、休暇を取ることを義務づければいいのですから。実際、世の中はそういう方向に向かっています。でも、そんな表層的な解決で満足していてはいけないように思うのです。

日本人が滅私奉公で働いてきたのは、ある種そこに使命を感じていたからでもあります。御上や雇用主、つまり国や企業のために尽力するのは、労働者にとって誇りでもあったわけです。

したがって、単純に働く時間を減らしなさいと言われても、それは誇りを奪う行為になりかねません。

つまり、量的な変化よりも、質的な変化こそが求められているのです。その点を間違っては、これからいかに改正された法律に従っていても、労働者の幸福度は増しません。

現に、時短を守るために強制的に帰らされる労働者は、皆怒っています。「ジタハラ（時短ハラスメント）」という言葉がはやったくらいです。

ただ強制終了されても、困るのは自分ですし、何よりそれでは自分が機械のような気持ちになってしまうのではないでしょうか。まるで強制的にスイッチを切られる機械と同じだと。私だったらそう感じます。

●人間は誇りのために働くものである

人間は誇りのために働いているのだと説いたのは、ドイツの哲学者ヘーゲルです。早くから市民社会の意義について論じていたヘーゲルは、人は市民社会に貢献することではじめて、一人前として認められると考えていたのです。

国家の基礎は市民社会にあります。その市民社会を支えるのは、一人ひとりの労働者にほかなりません。だからヘーゲルが市民社会というとき、それは主に市場を指しています。市場で個々の労働者が自分の役割を果たす。しかもきちんと果たす。それが市民社会をしっかりとしたものにし、ひいては国家を発展させることにつながると考えたのです。

そうしたプロジェクトにかかわっていることを自覚すれば、個人は誇りを得られるはずだというわけです。

●理想は自分も他者も幸せになる働き方

お金をもらうことは大事ですし、出世することが大事なのは間違いありません。でも、自分のやっていることに誇りを持てなかったら、嫌になるのではないでしょうか。

どんな仕事も思い通りにはいかないものです。とするならば、せめて誇りだけは失いたくないというのは分かるような気がします。もちろん、その気持ちが滅私奉公につながり得る危険性は否めないのですが。

その危険性を避けるには、誇りを維持しつつ、同時に自分をいたわる発想が必要です。

その点でエリック・ホッファーは、自分を愛することを重視した哲学者だといっていいでしょう。独学の哲学者、あるいは沖仲士の哲学者として知られる人物です。

沖仲士とは港湾労働者のことです。大学からの誘いもありましたが、彼はあえて港湾労働を続けながら哲学する人生を選びました。それが彼にとってもっとも人生のバランスが取れる生き方だったからです。

ホッファーの理想は、自由、閑暇、運動、収入のバランスが取れていることです。港湾労働は、時間も仕事量もある程度自由に選べたようです。収入も彼にとっては十分で、何より身体を動かすことができた。ホッファーの場合、本を読み、ものを考え、執筆する時間を大切にしたかったのです。言い換えると、これは自分を愛することを選んだ結果だといえます。

たしかにこんな働き方ができれば、それは理想でしょう。でも、どんな職種にでも当てはまるものではありません。

社会で働く以上は、やはりそれだけではだめで、社会や他者のこともある程度考えないといけないのです。

自分本位なだけでは、趣味になってしまいます。つまり、自分と他者の両方を愛する必要があるということです。それは自分も他者も楽しみながら、かつ自分も他者も幸せにするという働き方です。私はそれを「自他楽《ジタラク》」と呼んでいます。

今日本に求められているのは、そんな働くこと自体の質的転換であるように思えてなりません。いわばそれは「ハタラク」から「ジタラク」への転換です。

学びとは何か——充実した時間を過ごすために

●子どもはなぜストレスを感じるのか

子どもがストレスを抱えていると、親にもストレスがたまります。そしてそのストレスを子どもにぶつけるので、子どもがさらにストレスを抱えるという悪循環が生じます。この負の連鎖をどこで断ち切るかですが、まずは子どものストレスという視点から考えてみたいと思います。

子どものストレスはどこからくるのでしょうか？　一言でいうと、それは自然に反した状態に置かれていることからです。

遊びたいのに勉強させられる。休みたいのに休ませてもらえない。考えてみたら、子どもは生まれるや否や布でくるまれ、身動きがとりにくい状態にされます。寒いはずだと大人が勝手に決めつけて。赤ちゃんが泣き叫んでいるのは、もしかしたら苦しいからかもしれません。

実はこれ、フランスの哲学者ルソーが書いていることなのです。ルソーは『エミール』という本の中で、理想の教育について論じています。それは自然であることに主眼を置くものです。実際彼の思想は、近代教育の基礎になりました。

エミールというのは、ルソーが想定した孤児です。そのエミールが成人するまで、家庭教師役のルソーが理想の教育を施すという設定になっています。ざっと概要を紹介しましょう。

●ルソーが考えた「理想の教育」

まず、乳幼児期には、習慣をつけさせてはいけないといいます。なぜなら、本当の欲求ではなく、習慣から欲求が生じるようになってしまうからです。ただ時間がきたからではなく、本当に欲しいときだけミルクを与えればいいということです。これもまさに自然であることを重視した教育方針といえます。

児童期・少年前期には、教育は消極的でないといけないといいます。私たちはとかく先見の明を重視して、あれやこれやと子どもに詰め込もうとしますが、それはダメだということです。そもそも未来など不確実なのだから、そのせいで今を犠牲にするのはばかげていると。嫌なことを無理にやらせても、それがはたして将来プラスになるのかどうか。耳が痛いですね。あくまで、子どもの発達に合わせて、あせらずに見守っていくのが理想だということです。

少年後期には本格的な勉強が始まりますが、その際、知識からではなく、経験から入るようにとルソーは説きます。天体法則一つ教えるにしても、わざわざ太陽の動きを観察させて、自分で考えさせるのです。これは今はやっている課題解決学習にも通じる先進的なものといえます。

思春期・青年期には、人間を通して社会を、社会を通して人間を研究しなければならないと説きます。つまり、社会性を重視し始めるのです。ここでようやく自然であることと、社会性とのバランスが考慮されるようになります。

青年期最後の時期になると、欲望に支配されないよう、良心によって欲望を支配することが説かれます。ここではむしろ社会性のほうを重視しているといっていいでしょう。

●勉強は必要を自覚してこそ意味がある

このように『エミール』は、逆説に富んだ、とてもユニークな教育論なのですが、実際にはなかなか実践されていません。きっとあせるからでしょう。本来、子どもの教育というのは、かなりの時間をかけてゆっくりと行う必要があるものです。しかも、自然のままに育てる期間はじっくりとらねばなりません。そこをあわてるから、子どももストレスを抱えるのです。子どもが小・中学生の間は、好きにやらせておけばいいのです。

ところが現実には、私たちは子どもに勉強を強《し》いています。そして子どもがストレスを抱える。また、勉強しない子どもが原因で、大人もストレスを抱えるという悲劇が生じています。

勉強は自分がやりたいと思ったとき、あるいはやる必要を自覚してはじめて意味あるものになります。それが分かるのは、せいぜい高校に行ってからではないでしょうか。それでもまだ早いほうだと思います。私なんかはいったん社会に出てからようやく気づきましたから。実はそういう人は多いのではないでしょうか。

現に、もう一度学び直したいという大人はたくさんいます。学ぶことはストレスだったはずなのに、大人になると学びたくなる。これは不思議な現象です。

私は働きながら大学院に通っていたのですが、小学生から大学生になるまであれほどストレスの原因だった勉強が、その時には逆にストレス解消法になっていたのです。

当時の私にとって、仕事は「しなければならないこと」でした。生きて行くため、家族を支えるため。それに対して、勉強は「やりたいこと」だったのです。だからストレス解消になったのだと思います。

●学びを最高のストレス解消にしよう

今、大人が学び直すというリカレント教育が流行っています。社会環境の激変で新しい知識が求められたり、あるいは人生一〇〇年時代ということで、第二の人生を学びの時間に費やすという人が増えているからです。

教育は仕事と並んで、私たちのライフスタイルを構成する要素の一つになりつつあるといっても過言ではありません。だとするならば、その教育をうまく使って、ストレス解消を行ってみてはどうかと思うのです。

学びがストレス解消になるというのは、一見矛盾しているようですが、それはこれまで私たちが詰め込み教育しか経験してこなかったからです。本来学ぶことは楽しいことのはずです。

どうやら、ルソーの教育論から私たちが得られる教訓は、理想の子どもの育て方だけではないようです。つまり、大人もまた、適切なときに、適切なやり方で教育を利用すべきだということです。そうすれば、ストレス解消になるうえに、レベルアップにもつながるし、何より充実した時間を過ごすことができます。

ストレスを解消する方法はいろいろありますが、学ぶことで充実感を覚えるというのは新しい発想ではないでしょうか。生涯教育が叫ばれて久しいですが、いよいよ本格的に大人が教育を受け直す時代になって、その意義は多様化しているように思えてなりません。その一つがストレス解消にほかならないのです。

私の経験からも、やりたい勉強ができたときの充実感は、なんともいえません。心身を使ったのに、疲れも不思議と心地よいのです。運動でストレス解消するというのに似ています。身体の使う部分が異なるだけです。

こうして自分自身が教育によってストレス解消できれば、子どもにも余裕を持って接することができるでしょう。勉強する子どもの気持ちもより分かるはずです。まさに好循環が生じるわけです。

成長とは何か――失敗を繰り返さないために

●なぜ人は失敗を繰り返してしまうのか

「ああ、自分は成長してないな」と感じることはありませんか？　そういうときは落ち込むものです。自分が嫌になることさえあるでしょう。私もそう感じることがよくあります。いちばん多いのは、同じ失敗を繰り返したときです。

人は失敗から学ぶといいます。実際、失敗は心に残りますから、それを教訓にして次はうまくできるように対策を練るものです。にもかかわらず、同じ失敗をしてしまう。ということは、成長していないということです。

なぜ成長しないのか？　やはりそれは本当の意味で経験をしていないからでしょう。つまり、失敗を含め、自分が経験したことをちゃんと自覚していないからだと思うのです。

たとえば、失敗の原因を分析し、二度と同じ過ちはおかすまいと心に誓うなどしていれば、さすがにそう簡単に同じ失敗は繰り返さないはずです。

ところが多くの場合、「今度は気をつけよう」と軽く思う程度ですませているのです。経験の自覚、それこそが人を成長させるカギを握っているといえます。

●意識は最終的に理性に成長していく

その点で参考になるのが、近代ドイツの哲学者ヘーゲルの『精神現象学』です。

書名を聞いただけでは難しそうですが、趣旨は簡単です。つまり、意識は経験を経て成長していくというものです。もともとは「意識の経験の学」というタイトルがついていたくらいです。

いったいどうやって意識は成長していくのか。ヘーゲルはそれを意識が旅を経て成長する物語として語っています。

意識は旅をする中で、成長するごとに名前を変えていきます。最初は素朴な「意識」だったのが、「自己意識」、そして「理性」へと成長していくというのです。

最初の意識とは、知のもっとも低い段階だとされます。なぜなら、意識は何か対象を見たとき、それと自分とは関係なく、あくまでその対象を一方的に眺めているにすぎないと思い込んでいるからです。

たとえば職場で何か問題が起きても、すっかり傍観者を決め込んで、自分は関係ないと思っているような態度です。ところが実際には、ほかでもない自分自身がその対象を認識しているわけですから、無関係ではないはずです。

そのことに気づくと、自己意識へと成長します。職場の問題は、自分にも関係があると気づくということです。

さらに自己意識は、他者との関係で認められることによって、はじめて自分の意義を認識していきます。だから他者に認めてもらおうと、アプローチを始めるのです。

これについてヘーゲルは、「主人と奴隷の弁証法」と呼ばれる有名な比喩を使って説明します。

どういうことか紹介しておきましょう。

二人の人間がお互いに認めてもらおうと生死を賭けて闘うとどうなるか。勝ったほうが主人になり、負けたほうが奴隷になります。すると、奴隷は主人に従属し、主人のために働くことになります。

ところが、やがて主人のほうこそ奴隷の労働なしでは生きていけないことを認識するようになるのです。こうして奴隷は承認を獲得していくというわけです。

自己意識もそうなのです。他者に認めてもらおうとして闘い、その結果ようやく承認を獲得する。その繰り返しの中で、他者が構成する共同体、つまり社会の中における自分を認識します。これが最後の理性の段階です。

職場の問題の例でいうなら、自分自身が職場を構成する一員であることに気づき、その中で問題解決のために主体的に役割を果たすということです。もし周囲の人がそんなあなたの姿を見たら、「あいつ成長したな」といってくれるはずです。

●なぜ飛躍的に成長するときがあるのか

成長というのは、時間がかかるものなのです。その道程もけっして楽ではありません。ただ、人間というのは不思議なもので、それだけが成長のあり方だともいえません。

皆さんはある人が飛躍的に成長するのを目にしたことはないでしょうか？　あるいは自分自身、なぜか急に成長したように感じることはないでしょうか？

もしかしたら、そこにはフランスの哲学者ベルクソンが唱える独自の進化論が関係しているかもしれません。

ベルクソンは、エラン・ヴィタールという概念を掲げています。直訳すると「生命の飛躍」という意味です。

つまり、ベルクソンによると、生命はけっして単線的進化を遂げたのではなく、むしろ多方向に爆発的に分散することで飛躍的に進化する側面があるというのです。

それを証明するために、ベルクソンは異なる進化の系統に属するはずのものが、類似した構造を持っている点に着目します。たとえば、軟体動物と脊椎動物という異なる進化の系統に属するはずの生物が、共に目のような複雑な器官を持っているのはなぜか考えたのです。

ベルクソンの説明はこうです。体の組織が、解決しなければならない問題との関係で臨界点に達したことによって、予測不可能な生命の変化を生じたというのです。いわば、何かを見たいという強い欲求がエネルギーとなって、それが臨界点に達し、目という器官が形成されたと考えるわけです。

少なくとも、人間に関していえば、こういうことはありそうな気がします。よく筋肉を鍛えるには、その鍛えたい部分を意識してやらないとダメだといいます。そのように意識してトレーニングしていると、そこに神経が集中し、急速に成長したように感じることができるのです。身体と意識がつながっている以上、精神的な部分についても同じ理屈が当てはまるのではないでしょうか。

●成長するには強く願う気持ちが必要

だから飛躍的に成長したければ、強く願えばよいのです。もちろん何もしないと成長しませんから、努力も必要でしょう。

失敗を繰り返さないようになりたいとか、他者にもっと寛容でありたいとか願うなら、それに見合う行動をとらなければなりません。

そのとき、成長への思いが強ければ、短い期間で変わることができるに違いありません。周囲はその様子を見て、「急成長したね」と褒めてくれるはずです。

急成長することが必ずしもいいことだとは限りませんが、成長しない自分が嫌で、自信を喪失しているようなら、特効薬が必要でしょう。急成長はそんな特効薬になり得ると思います。

ただ、忘れてはいけないのは、特効薬は効き目が短いということです。たとえ急成長したとしても、着実に成長し続ける努力も怠らないようにしたいものです。

プレッシャーとは何か——気負わずに生きるために

●成長したい人ほどプレッシャーを感じる

人間は何かをして生きています。特に社会の中で生きていますから、必然的に人前で何かをすることが多くなります。話をしたり、何かを見せたり。

また人間は成長を望む生き物ですから、難しいことに挑戦します。そうして成長していくのです。

そして、このいずれのシーンにおいても、緊張します。つまり、プレッシャーと戦っていかなければならないのです。

私も緊張するタイプなのでよく分かります。人前で話すときは、何度やってもプレッシャーを感じるものです。大学で講義をするときもそうです。何度もやっているのに。けっして講義が嫌なわけではありません。むしろ好きなのですが、なぜか緊張してしまうのです。おそらくうまくやりたいという気持ちが強いのでしょう。それでプレッシャーを感じてしまうわけです。

先ほど成長という話をしましたが、私の場合、さすがにもう試験は受けません。でも、新しい企画を提案したりすることは多々あります。これは試験みたいなものです。そのたび、採用されるかどうかドキドキします。どんな反応がくるか心配なのです。

それがプレッシャーになるなら、やめておけばいいようなものですが、成長したいのでついチャレンジしてしまいます。自分から進んでオーディションを受けるようなものです。そう考えると、プレッシャーを感じる人というのは、きっと目標が高く、成長に対する欲求が強いのでしょう。

成長に対する欲求が強い。それ自体はいいことなのですが、問題はそのせいで人生がプレッシャーとの戦いの日々になってしまうことです。本来楽しいはずの人生が、とても苦しいものになってしまうのです。

だからといって、目標を下げたり、成長をあきらめたりはしたくはない。誰だってそうではないでしょうか？　高い目標を掲げたり、成長欲求を抱きつつも、もう少し楽に生きる方法はないものか。

そこでいくつかの哲学を概観しながら、その可能性を探ってみたいと思います。

●逃げても逃げても追いかけてくるなら……

難易度が低い順に紹介していきたいと思います。まずはドイツの哲学者ニーチェの超人思想です。

ニーチェはプレッシャーについて論じたわけではありませんが、彼の超人思想はいわば開き直りの思想なので、役に立つように思うのです。

ニーチェはいいます。「人生は同じ苦しみの繰り返しだ」と。それは逃げても逃げても追いかけてくる悪夢のようなものです。だとすれば、その悪夢から逃れる方法はただ一つです。逆説的ですが、いっそ受け止めてしまうことです。

もちろんそんなことができるのは、意志の強い超人のような人だけでしょう。だから「超人思想」と呼ぶのです。

プレッシャーも同じです。「ええい、こうなったらやってやる！」と思いきらない限り、緊張は消えてくれません。覚悟を決めるということです。

ただ、これだとプレッシャーがなくなるわけではないので、かなり気負い続ける必要があるかもしれません。そこで、イギリスの哲学者バートランド・ラッセルの宇宙思考はいかがでしょうか。

●「失敗なんて大したことない」と考える

ラッセルは二十世紀の知の巨人といわれるほどの偉大な哲学者です。と同時に、ノーベル賞を授与されながらも、何度か投獄されているほどの筋金入りの平和活動家としても知られています。

そんなラッセルですが、若いころは極度に緊張するタイプで、講演会の前などには、足の一本でも折れてくれればやらなくてすむのにと思っていたそうです。世界に向けて力強く反戦を訴えるほどの人なのに！

どうして彼がプレッシャーをはねのけることができるようになったかというと、それは宇宙思考を見出したからです。といっても宇宙物理学の話ではありません。そうではなくて、自分がどんな失敗をしようが、どのみちこの宇宙には影響はないと考えるようになったというのです。なんと楽観的なのでしょうか。

プレッシャーを感じるのは失敗したり、うまくいかなかったりしたときのことを考えるからです。それならラッセルのいうとおり、失敗なんて大したことないと思えるようになればいいだけのことです。

ただし、これは目標を下げるのとは違います。目標の高さはそのままに、プレッシャーの度合いを下げるだけです。

●気負わない、抗わない……。それが最善

それでもそんなふうに想像できる人ばかりではないでしょう。そこで難易度は少し上がりますが、受け止めるのでも想像するのでもなく、むしろかわすという方法はいかがでしょうか。中国の哲学者、老子の思想です。

老子は、何もしないことによって、実はすべてのことをしているのだと説きました。それを分かりやすく表現しているのが、「上善は水の如し」です。「最上の善は水のようにさからわない状態だ」という意味です。たしかに水は流れていくだけです。さえぎるものがあっても、道が曲がっていても、そのまま従います。そしてすっと流れていくのです。抗うことはないにもかかわらず、きちんと流れていく。これが最善の状態だといいます。

これをプレッシャーに置き換えると、気負うことなくやるという感じになるでしょうか。やるのだけれども、気負わない。別に宇宙を想像するのでもありません。ただ、さからわないだけです。何に？　それは自分の身体に起こるすべての現象に、でしょう。

喉が渇けば水を飲む。息苦しければ窓を開ける。「わーっ」と叫びたければ叫ぶ。やってはいけないと思うからプレッシャーが高まるのです。

緊張するといろんな欲求が生じます。ならばそれに従えばいいのです。走って逃げだしたくなったらどうするか？　それもやればいいのです。でも、最後は逃げ出せると思っていれば、そういう気にはならないものです。逃げられないと思うから緊張するのです。

人生は誰のものでもありません。ほかならぬ自分のものです。ですから、高い目標を掲げるのも、成長したいと望むのも自分なのです。嫌ならそこから逃げ出すことは可能です。何ものにも強制されているわけではないからです。にもかかわらず自分が好んで戦おうとする。これが人間の素晴らしさだといっていいでしょう。

なんだか緊張できる、プレッシャーを感じることができるというのも、また素晴らしいことであるように思えてきませんか？　プレッシャーを楽しめる人生を送れるといいですよね。

ストレスとは何か——悩みをコントロールするために

●うまくいかないことのすべてが原因に

ストレス、たまっていませんか？　自分では分からない？　そうですよね。風邪なら咳が出たり、熱が出たりしますが、ストレスがたまっているからといって、何か決まった症状が表に出るわけではありませんから。

たとえば、ついイライラしてしまうなんてことはないでしょうか。あるいは、原因が分からないのに、体調がすぐれないなどということはないでしょうか。それはストレスがたまっている証拠です。

ストレスは神経の疲れですが、あまりためこむとうつ病になるなど神経がやられるだけでなく、身体にも影響が出てきます。ですから、できるだけためこまないようにする必要があるのです。

とはいえ、それは簡単なことではありません。なぜなら、ストレスはさまざまな理由で生じるものだからです。

一般には、思うように物事がいかないとき、嫌なことがあったとき、たくさんの問題を抱え込んだときなどに生じてきます。つまり、うまくいかないことがあれば、それはすべてストレスの原因になるわけです。

ということは、人生うまくいくことばかりではありませんから、日々ストレスを増やしていくことになってしまいます。もしそうだとすると、それをためこまないようにすれば、ストレスは右から左に通過していくはずです。入ってきたストレスをそのまま外に出してしまうのです。

●悩み方をコントロールする

はたしてそんな夢のようなストレスフリー生活が可能なのかどうか。三大幸福論の著者の一人アランは、いらだちについてこんなことをいっています。「もしどんな臆断も持たずに、始め、からだの力を抜いて冷静でいられたら、初期のいらだちはすぐに収まるであろう」と。

人生、常に順風満帆とはいかないので、ストレスが生じることは避けられません。でも、そのストレスを軽く受け流すことができれば、大きな問題にはならないはずです。カッとなったり、気にしすぎたりして、そのストレスを自分の中で増幅してしまってはいけないのです。

やや楽観的に感じられるかもしれませんが、もし、もう少し能動的に対処したいという人がいれば、同じく三大幸福論の著者の一人と称されるバートランド・ラッセルの方法論を試してみてはどうでしょうか。

ラッセルは、疲れというものは心配からきているとしています。これこそストレスの最大原因だといっていいでしょう。

ストレスは身体の疲れよりも、心の疲れによって引き起こされるものなのです。なんとラッセルは、その心配ごとを心から締め出すことが可能だといいます。そのためには、きちんとした精神を養う必要があるというのです。それは、「ある事柄を四六時中、不十分に考えるのではなくて、考えるべきときに十分に考える」ということです。

当たり前のことをいっているようですが、よくよく考えてみると、これはとても有益なアドバイスです。私たちが悩むのは、悩む原因があるからですが、そもそも悩み方も問題なのです。極端なことをいえば、どんなに悩む原因があったとしても、いっさい悩まなければ、ストレスにはなりません。

さすがにそれは難しいかもしれません。でも、悩み方をコントロールすることくらいはできるはずです。逆に、悩みの原因を取り除くほうが困難なケースがままあります。覆水《ふくすい》盆に返らずで、もう起こってしまったことは仕方なかったり、相手があることで、どうしようもなかったりというふうに。

その点、悩み方のコントロールは自分次第でなんとでもなるのです。

●しっかり考えるには体力と気力が必要

さて、悩みのコントロールですが、どういうふうにすればいいか。ラッセルがいうのは、問題を四六時中だらだらと考えるのではなく、あるときに一気に考えよということです。なぜ四六時中だらだらと考えてはいけないのかというと、十分に考えることができないからです。長い時間をかけたからといって、いい答えが出るわけではありません。

これは勉強と同じです。疲れた頭でだらだらと十時間やるよりも、すっきりとした頭で一時間だけやるほうが効率がいいのと同じです。

つまり、ラッセルがいう「考えるべきとき」とは、頭がすっきりしているときのことです。深く考える体力と気力があるときに、しっかりと考えようというわけです。そうでないと、悩みはただ頭の中を巡るだけで、解決に至るどころか、より悪いほうにさえいってしまいがちですから。

したがって、ストレスを感じるときに、それを解消するために必要なのは、まず体力と気力を整えることにほかなりません。だから、ストレスを感じたら身体や心をいたわるようにするのです。ゆっくり休んだり、睡眠を取ったり、好きなことをしたりと。そんなことで問題が解決するはずがないと思いがちですが、そこが違うのです。

それで問題が解決するわけではないけれども、問題を解決するためにこそ、体力と気力を整えるのです。そうしてようやく、ラッセルのいう「考えるべきとき」を手に入れることができます。

●問題の原因は「自分」「相手」「環境」に分けて考える

面白いことに、そうやって体力と気力を整えると、もうそれだけで問題などどうでもよくなっていることがあります。しかもかなりのケースはそうです。奇しくもそうやって心と身体をいたわると、ストレスそのものが消えていくのです。問題の原因は解決していないにもかかわらず。

それでもまだストレスがたまっている人は、十分に考えて、原因をなんとかするための方策を練るべきでしょう。その際、私が心がけているのは、原因を三つに分けて記述することです。ストレスを退治するには、原因の究明が欠かせません。にもかかわらず、肝心の原因が間違っていては、いくらいい対策を立てても原因は消えてくれないでしょう。

その三つというのは、自分と相手と環境のことです。ストレスの原因は誰か自分の気に入らない人や、うまくいかない人など相手にあることが多いですね。それから自分のおかれた環境です。息苦しいとか、忙しすぎるとか。さらに、忘れてならないのは、自分自身です。自分の中にも何か原因があるはずです。

自分は少しも悪くないと思っていると、そこを見落としてしまいます。そのせいで原因を正確に把握しきれず、結果、いつまでたってもストレスがなくならないということになるのです。ぜひ自分の胸に手を当ててみてください。ほかでもない自分自身のためですから。

規則とは何か——物事をスムーズに進めるために

●規則があるから物事はスムーズに進む

「今日はなんだかだるいから、仕事をさぼろう」とか、「会社の椅子は座り心地がいいから家に持ち帰って使おう」なんていうことは許されませんよね。なぜか？　それは規則に反するからです。

おそらく就業規則等にそういうことをしてはいけないと書いてあるはずです。表現はもっと抽象的かもしれません。たとえば、具体的に「椅子を持ち帰ってはいけません」とは書いていなくても、「会社の設備・備品等は私的に利用してはならない」というふうに定めてあるのではないでしょうか。

日ごろ私たちはさまざまな規則に縛られています。就業規則、あるいは倫理規定、もちろん法律も規則です。そう考えると、かなり窮屈な日常を送っている感じがしてきます。

それならできるだけ規則なんて作らないほうがいいようなものですが、実態は逆です。

私たちはどんどん規則を作っているのです。何か新しい事柄があると、それにどう対処するか規則を定めます。なぜなら、そのほうが物事がスムーズに進むからです。

いちいちこれは誰に当てはまるかとか、どのようにやるかなどと、その都度議論していては効率が悪くて仕方ありません。だから、あらかじめ規則を作っておくのです。そうすれば、ただその規則に従って淡々と物事を進めることができます。

これが、窮屈であるにもかかわらず、私たちが規則を作る理由です。

●規則には自分の意志が反映されている

ということは、物事をスムーズに進めることよりも、窮屈である状態から逃れることを優先するなら、規則は守らなくてもいいのでしょうか？　仕事をさぼるほうが自分にとって大事だと思えば、さぼっていいのかどうか。もちろんそれが規則に反するのは間違いありません。たいていの規則には罰則がついているでしょうから、罰をくらうわけです。

でも、私がここで問うているのは、罰を食らう覚悟なら、規則よりも自分の気持ちを優先していいかどうかです。きっと皆さんは、そんなの絶対ダメに決まっていると思うでしょう。しかし、なぜダメなのでしょうか？

それはその規則を誰が定めているか考えれば分かると思います。権力者でしょうか？国家なら政治家とか、企業なら経営者だとか。たしかに形式的にはそうでしょう。でも、よほどの独裁国家やワンマン経営の企業でもない限り、そこに属する人たち、つまり国民や社員の意志が規則に反映されているはずです。

実際、国であれば法律は国民の代表者が作るわけです。企業の規則も労使で交渉したり、あるいはそもそも入社時に会社と契約を結んで条件を受け入れているはずです。したがって、本当は自分自身が規則を定めているという側面もあるのです。

ここで参照したいのが、フランスの哲学者ミシェル・フーコーです。

●本当は心の中では規則を求めている

ミシェル・フーコーは権力の本質を暴いた人物としてよく知られています。歴史をさかのぼって分析することで、精神病院や監獄といった仕組み、あるいは福祉制度さえもが、実は権力によって作られた統治の技術であることを暴き出したのです。

有名なのは「パノプティコン」と呼ばれる監獄の仕組みです。「一望監視装置」などと訳されます。

中央に監視塔があって、その周囲をドーナツ状に独房が並んでいます。ところが、中央の監視塔からはすべての部屋が一望できるのに、独房の側からは監視塔の中が見えないようになっているのです。そうすると、囚人たちは常に監視されているように感じて疑心暗鬼になり、自ら律し始めるというわけです。

この仕組みがすごいのは、たとえ中央から監視していなくとも、囚人の心の内面にまで権力関係を浸透させることで、効率的に監視を行うことができる点です。だから統治の技術なのです。

フーコーは、近代以降こうした仕組みがいたるところに導入されているといいます。工場、学校、病院等々。もしかしたら現代では、社会全体にまで広がっているといってもいいでしょう。街中にあふれる監視カメラを見れば明らかなように。

広い意味でこうした統治の技術は規則だといえます。物事をスムーズに進めるために、組織が導入している仕組みなのですから。

興味深いのは、なんとこの権力の本質をフーコー自信が「規則の束」と表現していることです。

あたかもこの世の権力の背景に、規則の束のようなものが張り巡らされていて、それが私たちの日常を隅から隅まで規定しているようなイメージです。

もちろんその規則の束は私たちの目に見えるようなものではありません。いわば暗黙の了解のような、日本的にいうと空気のような存在なのです。

その意味で、規則の束は誰か特定の人が定めた法律や就業規則のようなものではなく、私たち一人ひとりが無意識のうちに生み出し、形成しているものだといっていいのではないでしょうか。

そして個々の規則の根底にそうした規則の束があるとするならば、会社の就業規則さえも、元はといえば自分自身の意図によって作られているものだということになります。だから先ほど誰が規則を定めているのかと問いましたが、その答えは自分自身なのです。

そうである限り、規則よりも自分の気持ちを優先していいのは当然です。

これは何も規則を破っていいとか、軽視していいということをいっているわけではありません。原理的に考えると、規則は絶対だとか、誰かに一方的に押し付けられているものではなく、本当は私たち自身の心の中に規則を求める気持ちがあることに気づいていただきたかったのです。

そうすれば少なくとも、規則を絶対視して、自分を苦しめることはないように思うからです。

●生きやすい規則に組み直すことが大事

フーコーは晩年、権力から逃れる方法として、実存の美学という概念を掲げました。フーコーはそれをこんなふうに説明しています。

「人がみずから行動の規則を定めるだけでなく、みずからを変え、固有のあり方において自己を変貌させ、自己の生を美的な価値を持つとともに、生き方のスタイルについての特定の基準に適《かな》った一つの作品に作り上げようとつとめること」

これはまさに、自分自身でより生きやすい規則を編《あ》みなおしていく態度にほかなりません。その積極的な態度こそが、自分の気持ちを楽にし、時には自分を取り巻く規則を変えていくことにもつながってきます。

大切なのは、規則を前にして、絶対ダメだとあきらめてしまわないことです。

外見とは何か——見た目に振り回されずに生きるために

●外見はどこまで気にしてもよいのか

「人は見た目が9割」、誰がいったのか分かりませんが、たしかにそうだなと思ってしまいます。

第一印象なんていう言葉もあります。まさに人は見た目で判断されるということの言い換えです。

だから顔を気にしたり、服装を気にしたりするのでしょう。ある程度身だしなみに気を遣《つか》う必要はあると思いますが、かっこいいとかきれいだとかいうレベルを気にしだすと、なかなか大変です。

服装やメークでなんとかなるならまだいいですが、顔そのものやスタイルそのものを変えることはできないからです。いや、今は容易に整形できる時代ですから、変えようと思えば顔も変えられます。現に韓国は整形大国として有名で、誕生日プレゼントに親が整形の費用を出してくれたとか、就職のために自分のスペックを上げる目的で整形をするという話も耳にします。

ただ、そこまでやるのは行きすぎのような気がしてなりません。私たちはどこまで外見を気にすればいいのでしょうか？

まずいえることは、外見で悩んでいる人が、多少の改善によって元気になれるなら、やればいいということです。服装やメーク、あるいは姿勢などを改善するだけで元気になれるならやってもいいでしょう。失うものは何もないのですから。

●「いき」になれば、かっこよくなれる

とはいえ、いったいどうすれば外見がよくなるのか？　それが分かれば苦労しません。

そこで参考になるのが、日本の哲学者九鬼周造《くきしゅうぞう》の「いき」の概念です。

「いき」とは日本独自の美意識で、もともとは芸者と客との男女関係に由来するといいます。つまり、日本ではこの「いき」を実現できれば、男も女もかっこよくなれるのです。

九鬼は「いき」について、次のように表現しています。

「垢抜《あかぬけ》して（諦め）張りのある（意気地《いきじ》）色っぽさ（媚態《びたい》）」

「媚態」とは、異性を目指して接近していくのだけれども、あくまで「可能的関係」を保つ二元的態度だといいます。つまり、お互いにぎりぎりまで近づくものの、けっして合一することなく、一定の距離を置いた関係ということです。

これは肉体的な話というよりは、精神的な話です。相手を束縛し、苦しめてしまわないこの距離感、あるいは二元性が、「いき」の重要な要素なのです。

次に「意気地」とは、異性にもたれかからない心の強みだといわれます。めそめそした態度とは正反対の、毅然とした態度です。

そして「諦め」とは、仏教の世界観に基づく「流転や無常」を前提とした要素です。つまり、恋愛関係を含め、どんな人間関係もやがては解消されてしまいます。だからそれにこだわることなく、新たな関係を生み出すことが大事だというわけです。

いわば「いき」とは、けっして一つにまとまることのない二元性を基礎とした美なのです。具体的なカタチでいうと、たとえば姿勢であれば、軽く崩すのが「いき」の表現だといいます。なぜなら、姿勢の一元的な平衡を破ることで異性への方向を暗示するからです。

同様に、表情が「いき」なものになるためには、目と口と頰に弛緩と緊張を要するといいます。姿勢と同じで、軽い平衡破却《はきゃく》が必要だからです。流し目のように。

●見た目だけでの判断は偏見に基づいている

九鬼による「いき」な姿勢や表情の分析は、もうフェティシズムとしかいいようのないくらい詳細で、また的確なのですが、ことは身体だけにとどまりません。服装、つまり模様や色にもこだわります。

模様だと、なんといっても縦縞だといいます。なぜなら、横縞より縦縞のほうが二つの線が平行線としてより明確に知覚されるからです。色なら灰色、褐色、青色の三系統のいずれかに属するものだといいます。もちろん、いずれも二元性に基づくものです。

こうして見てみると、「いき」の美意識は、現代社会でも通用するものであるように思います。

九鬼の『「いき」の構造』には、ほかにもいろいろな例が出ていますから、可能な限りその要素を取り入れれば、姿勢や表情、そして服装センスなどの外見を改善することが可能でしょう。

これに対して、顔など変えられない外見については、もう気にしないようにするよりほかはありません。変えられないのなら、そうるすことでしか元気になれないからです。

最近、倫理の世界で「ルッキズム（lookism）」という言葉が議論され始めています。外見を理由とする偏見や差別を意味する言葉で、優遇措置によって魅力的であるとされた人々に有利に働くと同時に、機会の否定を通じて、魅力的でないと認識された人々に不利に働くものです。

つまり、外見がいいというだけで得をする人もいれば、逆に損をする人もいますが、そういう事態をもたらす現象そのものを指すといっていいでしょう。「見た目が9割」だとか、顔面偏差値が高いから顔で採用するとかいう発想は、ルッキズムの典型です。

どんな状況であったとしても、外見によって不合理に差別をされるような事態は避けなければなりません。だから、もし外見だけで差別されたり、低い評価がされたとしても、自信を失う必要などないのです。それは偏見に基づく判断だからです。

●「普通」なるレッテルを貼ることの罪

そこで着目したいのは、病気やけがなどが原因で、普通と異なる容貌を持った人たちが始めた「ユニークフェイス」という運動です。普通でないのは、ただ固有であるだけであって、劣っているとか、間違っているわけではない、と主張をする運動です。

本来、あらゆる人が固有の顔を持っていますし、固有の服装などのセンスを持っているはずです。ですから、それを統一して「普通」なるレッテルを貼ること自体がおかしいのです。そうすると、何か美の基準を設定して、外見がいいとか悪いとかいうこともいえないはずなのです。

あえていうなら、どんな外見もユニークなのです。そうとらえることができれば、何も外見で悩む必要はなくなると思います。よく「チビ・デブ・ハゲ」はダメだといわれますが、それも個性であるべきなのです。むしろ同じでないといけないという風潮こそ、危険視すべきでしょう。

実際、最近は同じリクルートスーツ、同じ髪の色や髪型を強いる就職活動に対して、一石が投じられています。あれは本当の自分ではないので、もっと本当の自分を見て欲しいと。

まずは私たちが本当の自分自身を受入れることから始めてみてはどうでしょうか。

人間関係とは何か——日々の息苦しさから逃れるために

●人間関係は生きることの裏返し

人生における最大の問題は、人間関係だといっても過言ではないでしょう。家族、ご近所、職場……。人は一人で生きているのではない限り、必ず誰かと接しなければなりません。だから人間関係は生きることの裏返しでもあるのです。

私が市役所で働いていたころ、ある先輩のセリフに驚いたのを覚えています。三月にもなるとどこの部署も人事異動の話題でざわつき始めます。なんと異動の対象になる人たちにいわせると、どの部署に行くかよりも、誰と一緒に働くかのほうがよっぽど重要だというのです。しかもこれはけっしてポジティブな意味でいっているわけではありません。つまり嫌な人と働きたくないというのです。

まるで子どものクラス替えのように聞こえましたが、だんだんその意味が分かってきました。どの職場にも困った上司やうるさいお局《つぼね》、変な先輩などがいるものです。そんな人は一人もいないとしたら、それはごくまれな素晴らしい職場です。でも、さすがにお客さんまでは選べませんよね。

結局、私たちは皆、人間関係に悩みながら日々を送っているのです。逆にいうと、人間関係さえうまくやれれば、日常の悩みの多くは消えてしまうのではないでしょうか。そういえば、コロナ禍の自粛生活で、家族とのトラブルが増えたという話もよく耳にしました。これもまた人間関係の悩みといえます。

そこで、ここではフランスの思想家モンテーニュの名著『エセー』を手がかりに、人間関係について考えてみたいと思います。

それにしても、なぜモンテーニュの『エセー』なのか？　それはこの本が鋭い人間観察の本にほかならないからです。

そもそもモンテーニュは、モラリストと呼ばれる一派の代表格なのです。モラリストとは、十六世紀から十八世紀のフランスで、人間を観察し、生き方について随筆形式で哲学した人たちをいいます。したがって、モンテーニュは人間関係についてもいろいろと役に立つことを書いているのです。早速見ていきましょう。

●相手に合わせていい雰囲気を作れるか

まずモンテーニュは、基本的に人間は社交的なものだと考えています。たとえばこんなふうにいうのです。

「およそ人間くらい非社交的でまた社交的なものはない。不徳をなす時は非社交的であるが、その天性は社交的である」

つまり、気まずいとき以外は基本的に社交的で、人と交わろうとするということです。冒頭で人間関係は生きることの裏返しだといいましたが、まさにこういうことなのです。

モンテーニュは、中でも友人との関係を重視します。友愛です。その他の「自然が与える友交、社交上の友交、主客間の友交、性交より生ずる友交」は、友愛に比することはできないといいます。

自然が与える友交とは親子兄弟間の親しみのことを指しますから、いかに友人との関係を重視しているかが分かると思います。

ここでモンテーニュは自分の親友の話をしているのですが、その友人とは、お互いが持っているものを互いに溶かし込んだといっています。つまりそれだけ、深く分かり合ったということなのでしょう。

ここまでお互いを理解するには、人間はコミュニケーションをもってするよりほかありません。

しかし、皆が皆これが得意なわけではないので、人間関係はうまくいかないのです。コミュニケーション上手な人は、人間関係もうまくいっているケースが多いです。なぜなら、相手に合わせていい雰囲気を作れるからです。

関係がうまくいっていない人を思い浮かべてください。おそらくその人とはコミュニケーションがうまくいっていないのではないでしょうか？　そしてその人との関係がうまくいかなくなった原因もまた、コミュニケーションの仕方にあったのではないでしょうか？

なぜこんな確信に満ちた言い方をするかというと、私自身がいつもそうだからです。最初にコミュニケーションでつまずいて、ぎくしゃくしてコミュニケーションを取らなくなり、関係そのものが悪くなる。たいていこのパターンです。

●コミュニケーションで疲れてしまったら

そこでモンテーニュは、あえてコミュニケーションを取ることをすすめます。それは「霊魂の鍛錬」のためだというのです。

つまり、コミュニケーションによって何か果実を得てやろうというのではなくて、ただ自分を磨くために話せばいいのだといいます。いわばコミュニケーション力を高めるのです。いい人間関係を作れるようになるために。

とはいえ、ずっとそんなことをしていると疲れるものです。時には一人静かに暮らしたくなることもあるでしょう。それはそれでいいと思います。隠遁《いんとん》のススメです。

モンテーニュ自身にもそういう時期がありました。だから彼は「今こそ社会とのつながりを絶つべきときである」ともいっているのです。

コミュニケーションを取って、いい人間関係を作る。日々そうやって過ごしつつも、疲れ切ったら隠遁すればいいのです。今でいえば引きこもりでしょうか。引きこもりは悪いことであるかのように思われていますが、おそらくそれは自分でコントロールできていないからでしょう。だから周囲は、下手をすると一生引きこもってしまうんじゃないかと心配します。

でも、ここでモンテーニュがいっている引きこもりは意図的なものであって、またそれゆえに自分できちんとコントロールできているのです。むしろスポーツの試合でタイムを取るような感覚です。

●意識の中で人間関係を絶ってみる

隠遁は普通の休暇とどう違うのかといわれそうですが、休暇は必ずしも人間関係をリセットしたり、忘れたりするために取るわけではありません。いや、そういう目的でいっさいの連絡をシャットアウトして休暇を取るなら似たようなものになるかもしれませんが。

大事なことは、意識の中で人間関係を絶つことです。そうしてはじめて、気持ちが楽になるのです。職場のことや誰かの反応を気にしているようではまだだめです。

人間関係はあたかも私たちの身体にビルトインされた分離不能のものであるかのようにとらえられがちですが、けっしてそうではないのです。そう思わないと、息苦しくなってしまうことでしょう。

そうしてリセットして、また新たな日常を生き直せばいいのです。二十一世紀ですから、日本もさすがにもうムラ社会ではありません。最悪、転職もできるし、引っ越しもできます。隠遁したり、リセットしたりして気楽に生きればいいのです。それでも十分幸せに生きられます。引きこもりを経験し、三回転職し、人生二十回近く引っ越している私がいうのですから間違いありません。

遊びとは何か――ワクワクに満ちた人生にするために

●本来の人間らしさは、遊びに現れる

ホモサピエンスが「賢い人」という意味で、人間の学名であることはご存じかと思います。では、ホモルーデンスという言葉を聞いたことはあるでしょうか？　これはオランダの歴史家ホイジンガによるもので、「遊ぶ人」を意味します。つまり、ホイジンガによると、人間とはそもそも遊ぶ人だというのです。

同じことはアメリカの哲学者エリック・ホッファーも説いています。人間は労働ではなく、遊びから始めたと。遊びがやがて労働になっていったというのです。その証拠として、土器よりも土偶のような人形のほうが先に造られたことを挙げています。したがって、必要に迫られて働いているうちは、人間はまだ動物界の一員にすぎないというのです。本来の人間らしさは、遊びにこそ現れると。

そんなことをいわれると、思わず嬉しくなってしまいますよね。私たちはなぜか遊びを

いけないもの、下位のものとして位置づけています。でも、本当は遊びこそが人間の本質なのです。

考えてみれば、遊ぶときは大人も子どもも心が弾みます。ということは、遊びは人間にとっていいことのはずなのです。それをなぜ押さえつけようとするのでしょうか？

もちろんだらだらと無為な時間を過ごしてばかりいるのはよくありません。しかし、無為に時間を過ごすことと、遊ぶこととはまったく異なります。

遊ぶというのはもっと積極的で意義深い行為なのです。そこに大きな誤解があるのだと思います。

したがって、生産のための合理性だけを追求すると、遊びは否定されてしまいます。皆同じことを同じようにやるほうが効率がいいからです。

そう、遊びが本格的に否定されるようになったのは、近代以降の話ではないでしょうか。

●人間を時間で管理することに無理がある

近代以降、世の中は大量生産のための合理性至上主義に転換しました。

それまではもう少し遊びに対して寛容だったように思うのです。とりわけ貴族などは遊んで暮らしていたわけですから。日本の平安貴族もそうでした。

産業が発展したのはいいですが、ここで問題なのは、遊びを否定したせいで大きなものを二つ失ってしまったことです。

一つは、人間らしい生活。もう一つは、自由な発想です。人間らしい生活についてはいうまでもないでしょう。

人間は機械ではありません。にもかかわらず、実態としては、人間は機械に成り下がっているのです。時間で管理され、同じ作業を強いられる。人間はストレスを抱える生き物です。肉体的に疲れる頻度も人によって違います。したがって、時間で管理すること自体に無理があるのです。朝から夕方までいっせいに働いて、昼休みは同じ時間に取るというふうに。

何より、自由な発想をし、自由に動く自由な存在である人間には、同じ作業の繰り返しは基本的に向いていません。それを強いるというのはもってのほかです。だから心身を病んでしまうのです。

二つ目の自由な発想は、人間らしい生活にとってマイナスになるだけでなく、仕事の生産性という面でも実は損失であるといえます。むしろ仕事を遊びととらえることで、より高い生産性を上げることも可能だと思うからです。

●遊びが新しい発想を生み出す

ここでフランスの思想家ロジェ・カイヨワの議論を参照しつつ、「遊び」の概念についてもう少し詳しく検討してみましょう。

カイヨワは遊びの本質を、「パイディア」と「ルドゥス」という造語で説明しています。パイディアとは、即興と歓喜の間にある、規則から自由になろうとする原初的な力のことだといいます。

これに対してルドゥスとは、恣意的《しいてき》だけれども、強制的でことさら窮屈な規約に従わせる力のことをいいます。

両者はあたかも対極的な関係にあるかのように思われますが、遊びとはそうした二つの異なる要素の組み合わせから成るものなのです。言い換えると、遊びとは自由であると同時に、一定の規則に縛られた矛盾した営みなわけです。

そこでカイヨワは、その組み合わせによって、遊びを以下の四つに分類しています。

競争を意味するアゴン、ギャンブルなどの偶然性を意味するアレア、模倣を意味するミミクリ、めまいを意味するイリンクスの四つです。

いずれも遊びの主たる要素であるといっていいでしょう。競争やギャンブルは説明するまでもないと思いますが、模倣には子どものごっこ遊びから演劇までが含まれます。めまいというのは、遊びによる効果です。たとえば、ジェットコースターに乗ったときや、サーカスを見たときに得られるあの興奮のことです。

ここからも分かるように、遊びには人間をワクワクさせるさまざまな要素が詰まっています。したがって、そうした要素をうまく活用することができれば、仕事の成果としてもこれまで以上に面白いものが生み出せるように思うのです。

現に勢いのある企業や、新しい時代を切り拓く技術・サービスには、常に遊び心があるものです。とりわけイノベーションと呼ばれる新しい発想は、遊びから発展していったものが多いように思います。

●人生を楽しむことは、自由に生きること

仕事は人間が生きていくために不可欠な営みです。それは間違いありません。ただ、そ

の仕事と遊びを二項対立でとらえる必要はまったくないのです。仕事イコールつらい、遊びイコール楽しいというのであれば、もっと仕事に遊びの要素を入れればいいのです。

これはもう発想の転換といえます。幸い哲学の世界では、ホッファーやカイヨワだけでなく、少なからぬ人たちが遊びの効用を説いてきました。ぜひそんな叡智《えいち》を言質《げんち》に取って、堂々と遊びの意義を訴えてみてはいかがでしょうか。いわば「遊び主義」宣言です。

私は遊び主義は立派に思想として成り立つと思います。仕事に限らず、生き方として、遊びを第一義に考えるということです。それはとりもなおさず、常に自由な発想を持って生きることにほかなりません。人生を楽しむことは、自由に生きるということの言い換えだといってもいいくらいです。遊びが自由をもたらすなら、人生を楽しむためにこそ私たちはもっと遊ばなければならないのです。

コロナ禍にあって、家でやることがないなら、遊べばいいのです。外に出られないという意味では不自由かもしれませんが、きっと心は自由になるはずです。

PART3

価値観が衝突する時代の

人生と生活を哲学する

家族について考える――閉鎖的だからこそくつろげる

●人によって家族のイメージはさまざま

家族というとなんとなく一族とか、家制度とか、重苦しいニュアンスを感じるかもしれません。でも、ホームというとどうでしょうか？　ハウスは家ですが、ホームは必ずしも家を意味するものではありません。自分の居場所のようなニュアンスです。だからアットホームとか、マイホームパパとかいう表現をしますよね。家族とは関係ないですが、ホームグラウンドなんて表現もあります。

私はそんなイメージで家族をとらえたいと思っています。なぜなら、家族とは自分の居場所であるべきだと思うからです。

残念なことですが、中には家族を問題の原因のようにとらえている人もいます。たしかに血縁とか婚姻といった拘束の中で、どうしても閉鎖性は生じてきます。その閉鎖性が、最悪暴力という形をとってしまうのが、ＤＶなどの問題です。コロナ禍の自粛生活でもＤ

Vが問題になりましたが、まさに閉鎖性に起因するものといえます。

程度の差はありますが、家族の人間関係を窮屈に感じている人は割といると思います。ただ、考えようによってはその同じ閉鎖性こそが、家族を守り、家をアットホームにしている部分でもあるのです。

ちなみにアットホームとは、ここではくつろげる場所というイメージで使っています。英語の有名な表現“Make yourself at home.”「くつろいでください」の、あのアットホームです。

●閉鎖性があるから休息の場になる

この家族の閉鎖性が抱える二面性については、日本の哲学者和辻哲郎がうまく表現しているように思います。和辻は、家を物理的に「閉鎖的な空間」であるとしたうえで、その閉鎖性ゆえに人に安らかな休息の可能性を与えるというのです。

しかし同時に和辻は、家族が全体の一部になるというようなことも論じています。あたかも身体のようにそれぞれの成員が役割を与えられていて、中でも父は家族全体のために働くというわけです。

まさに閉鎖性ゆえにくつろげる。でも、閉鎖性が全体のための役割を押し付けるという側面を指摘しているような気がします。

私が着目したいのは、もちろん前者のほうですが、そのためには、閉鎖性の負の側面を開いていく必要があるでしょう。いわば家族の目的に立ち返り、役割分担の押し付けが過度で理不尽な要求にならないように注意するということです。

そこで家族の目的を考えたいのですが、これについて和辻は、さらにヒントになることを述べています。それは、彼が家の存在のもっとも著しい特徴と位置付ける「竈《かまど》をめぐる生活」です。家の中で竈をめぐる生活を営むことで、食事を共にし、その結果、生命の再生産の共同を行う点が重要だというのです。

●家族とは愛が貫かれた共同体

たしかに、私たちは「家族が食べていくため」という表現をよく用います。実際、家族がそろうのは食事をするときくらいでしょう。少なくともそれは家族にとっての共同行為になっているわけです。言い換えると、それは家族が生きていくためということになります。私たちは生きていくために家族になるのです。くつろぐという行為も、生きていくためです。

一人で生きていて、孤独にさいなまれたとします。外で働いた後、寝床に入ってもくつろげないのでは、生きるのが苦しくなるに違いありません。だから家族を形成するのです。しかし、それは現在において生きていくためだけではありません。そこでドイツの哲学者ヘーゲルの家族論が登場します。

時間的にはヘーゲルの家族論は和辻の家族論よりずっと前に書かれたもので、和辻自身それを参考にしているのですが、着眼点が違います。ヘーゲルの家族論では、未来に目が向けられているのです。

ヘーゲルは家族を愛の共同体と位置付けています。つまり、家族は市民社会、国家へと発展する共同体の一つの形態なのですが、ほかの共同体とは異なり、そこには愛が貫かれているというわけです。ちなみに、市民社会では誠実さが、そして国家では愛国心が貫かれているといっています。

では、家族における愛とは何か？　それは子どもを愛するということです。この時点ですでに未来に目が向けられているといえます。そして子どもを愛することで、子どもを一人前の市民社会の成員に育てることが家族の目的であるとされます。こうして家族は解体され、市民社会へとつながっていくのです。

このようにヘーゲルを参照すると、家族という存在が未来において人が生きていくために不可欠な要素であることが分かります。

これは生きていくために食べるということだけではなく、教育も人格的な陶冶《とうや》も含まれます。

現に私たちは、学校に行き始める前に基本的な事柄を親から学びます。生きていくための。いや、本来は学校に行き出してからも、家族は子どもにさまざまなことを教える役割を担わなければならないのでしょう。なかなかそれができていないのが問題なのですが。会話さえない家庭もありますから。

●問題は誰かと支え合えているか

こうしてヘーゲル以降、近代社会においては、家族は国家につながるシステムの一部として位置付けられていきます。

しかし、それゆえに新たな問題が浮上してくるのです。それは家族という形態のあり方です。とりわけ現代社会においては、家族は多様な形態をとりつつあります。なぜなら価値観が多様化しているからです。

まず結婚自体、法律に縛られたものである必要はないのではという議論があります。フランスの哲学者サルトルとボーヴォワールが早くから実践していたような契約結婚、いわば国家のシステムに縛られない、自由を追求するための結婚が出てきます。さらに現代では、同性愛者同士の結婚も認知されつつあります。

日本の現状でいうと、これに加えて結婚しない、つまり新たな家族を持たない人も増えてきています。そうした人たちが一人で生きていくという選択を、いかに「家族」という概念の中に位置づけていくかということも考えなければならないでしょう。

「竈をめぐる生活」ができるのであれば、シェアハウスで独身者が他人と一緒に生きるとか、独り身の高齢者が集って生きるということも家族の形態になり得ます。

結局大事なことは、生きていくために誰かと支え合えているかどうかです。家族はそのための場所でなければなりませんし、その限りにおいて、どのような形態であっても問題はないわけです。

人生の計画について考える――大まかくらいがいい

「一年の計」をあえて綿密に立てない

新しい年を迎えると、誰もが心機一転、何か新しいことをしようという気分になるものです。一年の計は元旦にありではないですが、その一年をどう過ごすか、計画を立てるのはその証拠でしょう。

私も毎年正月休みに一年の計画を立てます。でも、その通りにうまくいった試しはありません。だからそもそも大まかな計画しか立てないことにしました。

詳細に計画を練ったところで、どうせ変わるのだから仕方ありません。いわば大きな方針を立てる程度でいいのです。

でも、中には計画にこだわる人がいます。きちんと計画して、しかもその通りに生きないとダメだという人が。かくいう私もそうでした。短期計画、中期計画、長期計画。特に短期の計画は一日単位で達成目標を設定するという徹底ぶりです。

たしかに計画は大事です。行き当たりばったりで失敗するより、物事は計画的に進めたほうがいいに決まっています。

ただ、ほかの物事と人生は違うように思うのです。勉強の計画とか仕事の計画と違って、人生はあまりにも不確定要素が多すぎます。ですから、いくら綿密な計画を立てても、すぐにそれは修正を余儀なくされるのです。

何より問題なのは、計画がうまくいかないせいでストレスをためてしまうことです。こんな愚かなことはありません。

そもそも自分でコントロールできないことを決めておいて、それがうまくいかないからといって苦しむなんて！　その点では古代ギリシアの哲学者エピクテトスのいう通りです。

エピクテトスは、「我々次第でないもの」を軽く見よといいます。それによって心が軽くなるというわけです。ここでいう「我々次第でないもの」とは、いわば自分ではどうすることもできないもののことです。

天気もそうでしょうし、他人の行動もそうでしょう。面接の結果なんてその最たるものです。他人の判断なんてどうしようもありませんから。

にもかかわらず、私たちは、あたかもあらゆることが自分次第でなんとかなるかのように考えてしまうのです。そして苦しみます。

だからエピクテトスは、自分の意志でどうにかなることと、そうではないことを区別せよと説くのです。

●料理が目の前にきたときにさっと取ればいい

実は彼は元奴隷という稀有《けう》な経歴を有する哲学者です。哲学者の中には変わった経歴を有する者が少なくないですが、元奴隷というのは珍しいでしょう。

私も商社マンや公務員、そして引きこもり経験のある哲学者だなどと嘯《うそぶ》いていますが、彼にはとてもかないません。なにしろ奴隷ですから。

古代ギリシア時代、奴隷であるという事実は本人たちにしてみればどうしようもないことでした。だからこそ、どのみち無理なことには悪あがきせず、できることを一生懸命やったのです。それを象徴するのが、料理の比喩です。

古代ギリシアの宴会では、大皿に盛りつけられた料理が順番に回されていたようです。今だと、中華料理店の円卓で回ってくる料理を思い浮かべてもらえば分かりやすいかもしれません。

自分の欲しい料理を見つめて、早く回ってこないかなと思ったことはありませんか？ そのときエピクテトスはこういうのです。「遠くから欲望を投げかけるな。君のところにやってくるまで待ちなさい」と。

つまり、まだ前のほうにある料理を取ろうと思っても、それはかなわないことです。ならば、そんなことを望み続けてやきもきするよりも、料理が目の前に来たときにさっと取ればいいだけのことというわけです。

エネルギーはいざというときのために取っておけばいいのです。計画も同じです。往々にして計画は無理なものになりがちです。高い目標を設定したほうがいいという人もいますが、そのせいで苦しむのは本末転倒でしょう。

それよりも日々の達成感のほうが自分を成長させるのではないでしょうか。これもやはり、「我々次第でないもの」を軽く見よという思想につながってきます。

奴隷生活を経験したエピクテトスは、そうやってどうしようもないこととどうにかなることを区別し得たからこそ、幸せな人生を送ることができたのです。したがって、ストレスから無縁の幸福な毎日を送りたいなら、まずは偶然性に支配されるこの世の中を受入れることです。

そう、計画の反対はある意味で偶然です。計画通りいかないのは、偶然に起こる出来事があるからです。そうした出来事が自分の計画を邪魔する。そんなふうに考えると、偶然が憎くて仕方なくなるでしょう。

でも、それでは心を苦しめるだけです。ましてやこのコロナ禍のように、先が読めない時代はなおさらです。だからこの世は偶然に満ちていることを認めて、運命を愛せばいいのです。まさにそのことを説いているのが、日本の哲学者九鬼周造です。

偶然というのはたまたま起こることです。逆にいうとそれは、ものすごい確率の中で生じたことになります。その意味で、その奇跡的な確率を愛してみてはどうかということです。

九鬼周造は、彼を身ごもっていた母親が駆け落ちして生まれた子どもであることに悩んでいました。その母親の相手は美術家として有名な岡倉天心でした。

九鬼は自分の運命をなかなか受け入れることができなかったのですが、自ら偶然性を主題にして哲学することで、それを乗り越えていきました。どんな運命であれ、その偶然性を愛そうと。そんなふうに思ったとたん、きっと苦しみが消えていったのだと思います。

●計画はその通りに進むものではない

計画はあくまで気持ちであって、実際に起こることとは異なります。計画を立てて、その通り物事が進むなどと考えてはいけないのです。それなら計画など立てないほうがましです。

でも、そういう方向で行きたいという思いは明確にしておくべきでしょう。自分自身どういう方向に進みたいのかよく分かっていないことが多いからです。

結局、この不確実な世の中において、人間という有限の存在が生きているのですから、計画はあくまで大まかな方針という程度がいちばんいいのではないでしょうか。

私がこの原稿を書いていたのはちょうど正月だったので、自分にもこれを当てはめて、大まかな方針を立てる程度でとどめておきました。おかげで充実した毎日を過ごせていま す。でないと、計画の修正に追われて嫌になっていたことでしょう。

コロナとの戦いはまだ続きそうです。物事は計画通りには進まないものだと考えておけば、少なくとも偶然の変化に振り回されることなく日々を過ごせそうな気がします。

迷いについて考える——最後は直感で決める

●荘子が示した「目から鱗」の発想

今日何を食べるか、休日に何をするか、二つの誘いのうちどっちを選ぶか、仕事を変えるべきかどうか……。人間の悩みは、迷いのせいだといっても過言ではありません。

私たちは人生においてそれがなかなか選べなくて、頭を悩ませているのです。だから、もし迷わなくていいようになれば、もっと生きやすくなるのではないでしょうか。心を病むこともなくなるでしょう。

その点について具体的な解決法を示してくれているのは、中国思想の代表的な人物の一人、荘子だと思います。

「老荘思想」といわれるように、タオの思想を説いた老子の考え方を発展させ、物事をあるがままに受け止めるように説いた人物です。まずは荘子の思想に基づいて、迷いについて考えてみたいと思います。

皆さんは、ＡかＢかどちらにすべきか悩んだとき、いったいどうやって物事を前に進めていますか？　もちろんどちらかが少しでも有利だとか、上回っていれば、そっちを選べばいいわけです。でも、甲乙つけがたい状況のときはどうすればいいのでしょう。

たとえば、今の会社に留まるべきか、それとも転職すべきか。これは働く人であれば、一度は経験したことがある迷いではないかと思います。

私も何度か経験があります。でも、どっちもメリット、デメリットがあるので、なかなか決断が難しいんですよね。残れば変化はないけれど、リスクが少ない。転職すれば変化を望めるけれど、リスクがある。そういう二項対立の中で、私たちは頭を悩ませることになるわけです。そんなとき荘子は、目から鱗の視点を出してきます。

それは、ＡもＢも同じだという視点です。物事の違いなど相対的なものだということで、「胡蝶《こちょう》の夢」という有名な寓話の中に示されているものです。

●甲乙つけがたいなら、迷う必要はない

荘子はあるとき、蝶になってひらひらと空を舞う夢を見たのですが、もしかしたら、自分はもともと蝶であって、人間になった夢を見ていたのかもしれないという話です。

たしかに、どっちが現実なのか、私たちには証明のしようがありません。つまり、物事の違いは相対的なものであって、どっちが絶対正しいなどとはいえないのです。だからといって、その場合二つの異なる物事や出来事があるのではありません。

ここが荘子の思想の面白いところなのですが、彼にいわせると、実はその異なると思われた二つの事柄や出来事は、一つの同じものなのです。これが「万物斉同《ばんぶつせいどう》」という荘子の思想のいちばん重要な概念にほかなりません。

私たちが迷うのは、本当は同じものを違う側面から見て、二つの別のものだと思い込んでいるからなのです。

ということは、逆にいうと、一見異なったり対立しているように見える物事でも、同じものであると思うことで、なにも選択に迷う必要はなくなるわけです。

先ほどの転職の話でも、そういう視点でとらえれば、同じなのかもしれません。どこであっても、自分が働くということに変わりはないのですから。甲乙つけがたいなら、それほど迷う必要はないのかもしれません。そう思うだけでも少し気が楽になるのではないでしょうか。

●最後は直感、「えいや！」で決める

とはいえ、人間はどちらか選ばなければなりません。どっちがいいとしてもです。そこで参考になるのが、フランスの哲学者パスカルの思想です。

パスカルは人間の思考には二種類あるといいます。幾何学の精神と繊細の精神です。簡単にいうと、前者は論理的な思考、後者は直感です。たしかに私たちが頭を働かせるとき、大きく分けるとこの両方があるように思います。

問題はこの二種類の異なるタイプの思考方法を、私たちがどう使い分ければいいかです。

パスカルによると、物事を判断する際には繊細の精神を使うのがいいようです。つまり、物事を決める最後の最後は、直感でいけというのです。

もちろんそれまでは論理的にしっかりと吟味することが必要です。いや、実際にそうするでしょう。

でも、それでも決められないときは、きっと最後は直感で「えいや！」と選ぶしかないのです。でないと迷い続けることになるからです。何が正しいかは分からないにしても、人間はなんらかを選択しないと前に進めない存在ですから。それが生きるということにほ

かなりません。

言い換えると、考える能力を持っている限り、人間はあれかこれか、AのほうがいいかBのほうがいいかと迷うことを宿命づけられているということです。

そんな宿命を抱えながらも苦しまずに生きて行くためには、すでに述べたように、実は「選択などあるようでない」と思うことです。どっちを選んでも、実は同じ道であって、その道しかないのですから。

だからとにかく選べばいいのです。Aを選んでもBを選んでも同じ一つのものを選んだにすぎません。

大切なのは、選ぶ勇気です。そこで立ち止まってしまっては、人生を前に進めることができなくなってしまいますから。

●「迷走」を止める最善の方法は「瞑想」

考える営みである哲学にかかわる人間がこんなことをいうのもなんですが、考えてもどうしようもないときは、最後は考えないほうがいいことだってあるのです。

パスカルにいわせると、直感はまだ考えているうちに入るのかもしれませんが、「えいや！」と決めるのはもはや考える行為とは対極のものであるといえるでしょう。

しかし、それはけっして人間らしくない行為ではなく、むしろ人間にしかできないことだともいえます。

イスラエルの歴史家であり哲学者であるユヴァル・ノア・ハラリは、まさにそういっています。

『ホモ・デウス』などのベストセラーとなった著書で彼が強調しているのは、ＡＩのアルゴリズムによって人間の判断が奪われてしまうことの危険性です。

人間が迷って物事を決められなくなったら、これからはＡＩが勝手に決めてしまうかもしれません。

それはあまりにも悲しく、人間にとっては危険なことでもあるでしょう。だからそうなる前に人間がなんとか物事を判断するためには、あえて考えずに選ぶということも必要になってくるというわけです。

そのためにハラリは瞑想の意義を唱えます。そして自分でも実践しているようです。もしかしたら私たちの「迷走」を止める最善の方法は「瞑想」なのかもしれません。

希望について考える——断念するからこそ希望が持てる

●希望はいわば「元気の素」

希望というのは素晴らしい言葉です。その言葉を見ただけで、あるいは聞いただけで元気が出てきます。なぜか？　それは、希望はこれから起こることだからです。もうすでに起こってしまったことはどうしようもありません。でも、これから起こることについては、人は夢を抱いたり、期待を込めたりすることができます。そんな思いをひっくるめて希望と呼ぶのです。だから希望は元気をもたらすわけです。まだなんとかなると。

特に成熟化した日本社会では、戦後の高度経済成長の時期や今伸び盛りのアジア諸国のような希望を抱くことは難しい状況にあります。そこに追い打ちをかけるように新型コロナウイルスが蔓延し、まさに今私たちは希望を失ってしまっているといっても過言ではないでしょう。

しかし、希望を失ってしまうということは、先述したように「元気の素《もと》」を失うことにほかなりません。したがって、なんとかして希望を取り戻す必要があるのです。そこで、ここでは希望のための哲学を論じてみたいと思います。

●希望を持ち続けることは可能か

希望について論じた哲学者はそう多くありません。でも、オランダの哲学者スピノザは、明確に希望という言葉を出して、その意味について論じています。彼によると、希望とは「我々がその結果について疑っている未来または過去の物の表象像から生ずる不確かな喜びにほかならない」といいます。

この「喜び」というのがキーワードです。スピノザによると、喜びが希望をもたらすわけです。そしてその喜びというのは、実現できそうなことを目標に掲げることではじめて生じるといいます。これは誰でも分かると思いますが、できそうもないことを目標に掲げると、当然挫折します。それによって、喜びを得る機会を失うのです。

とするならば、ある程度できそうなことを目標に掲げるのが賢いやり方といえます。問題は何が現実的なのか、その見極めが難しい点です。それが分かっていれば、誰だって無謀な挑戦をして絶望することはないはずです。

スピノザにいわせると、そこで求められるのが心の平静です。つまり、冷静に物事を判断することができるなら、無謀な挑戦をすることもないのです。スピノザによると、そのためには直感と理性のバランスを取らねばなりません。そうしてはじめて正しい判断が可能になるのです。その時々の状況でいったい何を求め、何をすれば、挫折することなく希望を持ち続けることができるか分かるということです。

しかし問題は、私たちが直面しているコロナ禍のような状況です。今私たちは、これまで常識だと思っていたことや世の中の意味のようなものが強制的にはがされてしまった状態にあります。そのせいで、本来であれば実現できそうな多くのことが奪われてしまっています。はたしてこのような状況でも希望を持ち続けることは可能なのかどうか？

ここで参考になるのは、断念することで希望が持てるという逆接を唱える三木清の思想です。

●前に進むには、無理なことを断念するしかない

日本の哲学者三木清によると、人間という存在はもともと虚無の中に生きています。で

も、その虚無の中にあっても、なんとか希望を見出しながら生きるのが人間なのです。彼はそれを「形成力」という言葉で表現します。つまり、人間は希望を形成しながら生きる存在なのです。また三木は、生きることとは希望を持つことだともいいます。

三木自身、家族との死別、仕事での挫折、戦争というどうしようもないものに翻弄されながら、虚無の中であがき続けてきました。だからこそ生きることと希望を持つことを同視するようになったのでしょう。

では、いかにして人は希望を形成することができるのか。ヒントは三木の思想の根本にある「構想力」という概念にあります。

三木のいう構想力とは、ロゴス（論理的な言葉）とパトス（感情）の根源にあって、両者を統一し、形を作る働きのことをいいます。

つまり、人間が時に理屈で考えながら、時に感情に任せて何かを求める行為、それこそが構想力にほかなりません。したがって、希望を形成するときも、私たちはまず感情に任せて突き進むと同時に、理屈で考えて現実的になっていくのだと思います。

これこそが「断念」という逆接的な言葉の意味するところです。「断念することをほんとに知っている者のみがほんとに希望することができる」と三木は書いています。

たしかに、無理なことを断念することでしか、私たちは前に進むことができません。希望を単なる理想として終わらせるか、生きるための推進力として生かすかは、まさに断念できるかどうかにかかっているのです。

●希望とは「まだない存在」「まだ意識されないもの」

とはいえ、この世に生きている限り、断念することさえできない事態も想定し得ます。もしすべてが失われてしまったら、断念して選択するなどということは不可能になるからです。まったくの無になったとき、はたして人はいかにして希望を持てばいいのか？

実はドイツ出身の哲学者ブロッホは、主著『希望の原理』の中で、まさにそんな状況における希望の持ち方について論じているのです。

ブロッホは、ヒトラーがヨーロッパを支配し始めた一九三八年にアメリカに亡命し、この『希望の原理』を書き始めました。「私たちは空っぽから始める」という印象的な書き出しとともに。

実際彼は、見知らぬ大都会で皿洗いのアルバイトをしながら、文字通り空っぽから人生を歩み直したのです。

ブロッホは、「希望とはまだない存在」だといいます。人間の内部には、過去に向けられた意識されないものとともに、未来に向かう「まだ意識されないもの」があるといいます。そのまだ意識されないものが、予感、憧憬、空想、白昼夢という形で意識に上ってきて、希望の内容を形作るのです。だから、希望を確固たるものにすることが重要だと主張します。

こうして見てくると、希望ほど強いものはないように思います。どんな状況になっても、必ず抱くことができるのですから。そしてそんな強いものを抱くことができる人間もまた、本来はとてつもなく強いのだと思います。

ぜひ自分の中にある強さを信じて、このコロナ禍という難局を乗り切っていきましょう。

気晴らしについて考える——心のバランスを整える

●理性と感情があるから気晴らしが必要

人間に気晴らしが必要なことはいうまでもないでしょう。ここがロボットとの違いです、多分。ロボットの気持ちは確かめようがないので分かりませんが、でも、人間については確実にそういえます。

なぜ人間に気晴らしがいるのかは、人間という存在を描写してみればすぐ分かると思います。人間には理性と感情があって、生身の身体でできています。それがロボットとの違いでもあります。

まず理性があることで、物事を論理的に突き詰めて考えることができるわけですが、そのせいで考えすぎたり、行き詰まったりすることがあります。

コンピュータならそれでも問題ないのでしょう。ひたすら計算し続けます。でも、人間はやりすぎることもあるし、またそれぞれ限界を抱えているのです。

理性は鍛えることができますが、常に限界をはらんでいます。万能ではないから、休憩が必要なのです。そうでないとオーバーヒートしてしまうでしょう。つまり、おかしくなってしまうのです。

人間は二十四時間三百六十五日同じことを考え続けることは不可能なのです。それは感情を持っているという点と関係しています。いくら理性に限界があったとしても、感情がなければ考え続けることはできるかもしれません。疲れたとか、嫌だとか、飽きたなんて感じることがないのですから。自分はもうだめだなどと思うこともないでしょう。

しかし、そうはいかないのです。人間には感情があるがゆえに、理性の抱える限界を感じ、それを癒すことが必要になってきます。それが気晴らしにほかなりません。違うことをしてみたり、休憩をしたりというふうに。そうやってまた気力を取り戻して、続けるのです。

●気晴らしとは、心のバランスのようなもの

問題は気晴らしのタイミングです。ここで身体の問題が関係してきます。身体は機械とは違って、日々いたわってやらなければなりません。とてもデリケートなのです。すぐ疲

れてしまうので、休息が必要です。

疲れたと感じるのは、たいてい身体です。頭が疲れたと思うかもしれませんが、頭も身体です。頭は身体の一部ですし、神経も身体の一部ですから。

結局、身体が疲れるというのが、気晴らしをするタイミングだといえます。それでも、気持ちが乗っているとき、気が張っているときは、身体の疲れを察知できないことがあります。

そういう場合は、強制的に気晴らしをしたほうがいいでしょう。そうでないと、あとでどっと疲れがやってきますから。大きな仕事を終えて、倒れたり病気になる人がいるように。

以上のように、何かに集中しすぎている状態から自分を解放する気晴らしのほかに、退屈をまぎらすための気晴らしも考えられます。これはまったく逆の状況です。暇で暇でしょうがないとき、どうやって時間を過ごすか。そこで求められるのもまた気晴らしなのです。そのために人間はあらゆる手段を尽くしてきました。

たとえばイギリスの哲学者バートランド・ラッセルはこんなふうにいっています。「戦争、虐殺、迫害は、すべて退屈からの逃避の一部であった」と。

つまり、人類は、興奮を求めて、わざわざ戦争してきたというのです。これは戦争に対する皮肉にも聞こえますが、実際人が狩りをするのは必ずしも獲物を得るためではなく、狩りの興奮を味わうためなのです。人間というのは、それほど退屈を嫌う生き物なのです。

人間がどれほど退屈を嫌うかは、刑務所での懲罰を想起してもらえば分かるでしょう。受刑者がいちばん嫌うのは、懲罰房に入れられ、作業も何もさせてもらえない状態です。私たちだって、何もしてはいけないといわれることほどつらい状態はないはずです。ただ、じっとしていなければならない時間。それは人間にとって苦痛でしかないのです。だから退屈で単調な日々には気晴らしが不可欠なのです。

このように、何かに集中しているときも、逆に単調な毎日を過ごしているときも、人間には気晴らしが必要なのです。

気晴らしとは、心のバランスのようなものなのでしょう。心は同じことばかりしていると、バランスを欠いてしまう。だから違うことをしなければならない。栄養と同じです。いくら好きでも、毎日肉だけしか食べないとしたら、病気になってしまいますよね。栄養が偏って。もちろん何も食べないのもいけません。ですから、バランスよく食べる必要があるのです。

●仕事中の気晴らしがプラスになるわけ

では、気晴らしばかりするというのはどうか？　なんだかさぼってばかりのようにも聞こえますが、今の栄養のたとえでいうと、毎日違うものを食べるということになります。それならよさそうですよね。

気晴らしはけっして罪でもさぼることでもないのです。悪いことをして気晴らしをするのは罪ですが、そうでない限り、それは心のバランスを取る方法なのですから。人によってバランスのあり方はさまざまでしょう。気晴らしがたくさんいる人とそうでない人と。

今勢いのある会社は、仕事の中でうまく気晴らしができる仕掛けをつくっているような気がします。オフィス内にカフェやバーのコーナーを作ったり。軽くスポーツができる設備を導入したりと。そのための時間を設ける必要もあります。何より、気晴らしを当然のものとする雰囲気も不可欠でしょう。

こうした取り組みは、一見仕事の効率ではマイナスになるように思えますが、気晴らしの意義に鑑みると、まったくそんなことはないのです。むしろプラスにさえなるわけです。あるいは適度な気晴らしをするほうが柔軟な思考や創造性にとってもプラスになるかもしれません。

フランスの思想家ドゥルーズがリゾームという概念を掲げています。もともとこれは根状茎を指す言葉で、始まりも終わりも中心もない思考法や、生き方のよさを説いたものです。

普通はトゥリーといって、一本筋の通った樹木とか根っこのような思考法、あるいは生き方がいいと思われがちですが、けっしてそうではないということです。

なぜなら、あっちに行ったりこっちに行ったり、またつながったり途切れたりというほうが、柔軟性があるし、面白い接続も起こりそうだからです。これってまさに気晴らしの発想に似ているような気がしませんか？

一日のうちで一つのことをやり続けるより、休憩も含めていろいろやったほうが、柔軟でクリエイティブな仕事ができるかもしれませんよ。

テレビについて考える――共通の話題を提供するメディア

●なぜか魅力的なテレビというメディア

朝起きるとまずテレビをつける。仕事を終えて家に帰ってきてもテレビをつける。そんなふうに、見たい番組があるからテレビを見るだけでなく、まるで電気をつけるようにテレビをつけているのではないでしょうか。

テレビがインフラとしてどの家庭にも導入されてから、早半世紀以上がたちます。今やテレビの地位を脅かすほどの勢いでインターネットなどの新しいメディアが台頭していますが、でも、テレビは今もなお私たちの生活の一部としての地位を保っています。

独り暮らしの若い人の場合は、どちらかというとわざわざ特定の番組を見るというより、日常のＢＧＭのようにテレビがついているということが多いようです。家事をしている主婦もそうでしょう。このように、今はテレビがついている間、ずっと集中して見ている人は少ないでしょうから、テレビはある意味で環境のようなものとして機能しているのです。

そもそもテレビ番組は、何かほかのことをしながら見ていても内容が分かるように作られています。そこが新聞など、テレビよりも以前から存在する活字メディアや、テレビよりも後に登場したインターネットなどのニューメディアとの違いです。

新聞は能動的に読まなければなりません。インターネットも能動的に情報を取りに行くのが基本です。テレビはそこがほかのメディアとは違う。だからテレビは愛されるのではないでしょうか。

疲れているとき、人は能動的に行動しようとは思いません。仕事から疲れて帰ってきて、シャワーを浴びた後、ふとテレビの電源を入れるのはそのせいです。一人でシーンとした部屋にいるよりは、にぎやかな雰囲気にしたい。そんなとき、テレビのスイッチを入れるのです。

そこから伝わってくるのは、世の中の情報です。今何が起こっているのか、何が流行っているのか、何が面白いのか。もちろん、それが生の事実だとは限りませんが、無味乾燥な事実を聞かされるより、テレビの演出に装飾された情報のほうがだんぜん惹《ひ》きつけるものがあります。そこもまたテレビの魅力です。

●メディアとはメタファーである

メディアが専門の思想家マーシャル・マクルーハンは、「メディアはメッセージ」だといいました。伝えるメディアによって、メッセージの意味が変わるということです。同じ出来事でも、文字だけで新聞によって報じられるのと、生々しい映像と共にテレビで伝えられるのとでは、私たちの受ける印象が違ってきます。

だからメディア自体がメッセージ、というわけです。ただ、マクルーハンは、同時に「メディアはメタファー（たとえ）」だともいっています。

メディアが伝えていることは、生の事実そのものではないので、すべては解釈の余地があるということです。

でも、ニュースキャスターは、「このニュースは、たとえるなら○○です」なんていいません。あたかも生の事実を伝えているかのように報じるのです。ですから、私たち自身が、メディアはメタファーだと思わないといけないのです。そこから本当の意味を読み取る必要があるということです。

●ネット時代におけるテレビの可能性

これはメディアリテラシーという用語で表現されることもあります。メディアリテラシーとは、メディアを読み解く能力ということです。どちらかというとメディアに対して批判的なニュアンスを含んでおり、自分の頭で正しく判断せよということをいっているわけです。ただ、必ずしもそのように批判的に見る必要はないと思います。つまり、何かをしながら見ていても意味が分かるはずのテレビでさえ、実は解釈の余地があるということだと思います。

この点について、現代ドイツの哲学者マルクス・ガブリエルは、まさに私たちがテレビを通じて、同じ世界を違う視点で見ていると指摘しています。

ガブリエルといえば、新実在論という最新の哲学をひっさげて、哲学界のみならず言論の世界に颯爽《さっそう》と現れた知のスターです。それまでの哲学の世界における「実在」の意味、つまり何かが存在するということは、物理的にあるということか、あるいは人間がそのように認識しているかということのいずれかを意味していました。ところがガブリエルは、それぞれの人の認識イコール存在だと主張したのです。

この発想がすごいのは、もし一〇〇人が目の前にあるペンを認識していれば、それは一〇〇通りの認識の通りにペンが存在していることになるので、なんと一〇〇本の異なるペンが存在するという結論になる点です。目の前にはたった一本のペンしかないにもかかわらず。

「そんなバカな！」と思われるかもしれませんが、もし一〇〇人の人たちが皆異なるパラレルワールドに生きていて、たまたま目の前のペンに関しては、その世界が交差していると考えれば、何も矛盾する点はないでしょう。

私はこの点にテレビの可能性を見出しています。つまり、テレビは人それぞれ異なる解釈をしているにもかかわらず、誰もが情報を共有できる媒体だということです。だからこそ議論ができるのです。

あるテレビ番組を見た人たちが、翌日それをネタに話をする。ところがもちろん人それぞれ見方が異なるので、意見はまちまちになります。それによって議論が生じるのです。今インターネットメディアが隆盛になったせいで、誰もが共通に話せるネタがどんどん減ってきています。そんな中、テレビはかろうじて共通の話題として命脈を保っているのです。

●テレビは人の心を一つにしてくれる

ケーブルテレビなどで多チャンネル化が進んでも、最大公約数が視聴する番組は限られています。年末の紅白歌合戦はその典型でしょう。国民的テレビ番組だといっても過言ではありません。だから年末には家族で紅白歌合戦を見て、年明けの職場でも紅白が話題になるのです。良くも悪くもそれは人々の心を一つにしています。

多くの人たちが情報を共有するマスメディア、その代表的存在であるテレビは、今なおそうした点において社会的意義を有しているといえます。

共通の話題を提供するからこそ、人々の心を一つにし、それでいて異なる意見を喚起する媒体としてのテレビは、単に情報源と人々を媒介するという意味でのメディアなだけでなく、バラバラの個人を媒介するという意味でのメディアでもあるのです。

特にコロナ禍によるリモートワークの普及で、それぞれが別の生活を送る場面が多くなった今、テレビは共通の話題を介して人々を一つにしてくれるツールとなっています。

インターネットが隆盛の昨今、テレビはもう終わったかのような流言が飛び交っていますが、けっしてそんなことはありません。マスメディアとしてのテレビにはまだまだ独自の存在意義があるのです。

入浴について考える——自分全体を再生するために

●なぜ入浴するとリフレッシュできるのか

入浴の歴史は古く、古代ギリシアの時代からあったようです。有名なのは古代ローマ帝国の公衆浴場でしょう。ヤマザキマリさんの漫画『テルマエ・ロマエ』で話題になりました。古代ローマの浴場設計技師が、現代日本にタイムスリップしてきて、日本の風呂文化にショックを受けるという話です。

そう、日本の風呂文化もまた世界的に有名です。温泉に加え、銭湯文化がありますから。きれい好きなのもよく知られています。

歴史的には、仏教が伝来した当初から入浴に関する記述がありますが、庶民に一般化したのは江戸時代のようです。

もともと日本人は水で体を清めたりすることにいい印象を持っています。文化によっては、それは逆に体を汚すとか、病気になるという考え方もあるそうですが、日本ではそんなことはありません。神道の影響によって、心身共に清められると考えます。だからお風呂に入ると、リフレッシュした気持ちになるのでしょう。まさに心身が再生されたような心地になります。私もギリギリまで疲れたらお風呂に入ることにしています。そうすると、その後また頑張れるのです。

ちなみに、ここでいう入浴は必ずしも湯船につかることを意味しません。私の場合、基本的にはシャワーだけです。それでもすっきりするのです。これには個人差があるでしょう。絶対に湯船につからないとダメだという人もいれば、シャワーだけでいいという人もいます。また、湯船につかる人でも、長くつからないとダメという人もいれば、いわゆるカラスの行水でさっと出る人もいます。

大事なのは、いったん水で体を流すということなのです。湯船につかるかどうかは大きな問題ではありません。

●入浴は大きな心理的効果を与える

いったいなぜ水に流すのがいいのか？

もちろん体についた汚れを落とすということはあります。垢や汗など。誰だって、体についた汚れを落とせば気持ちよくなるでしょう。本来であれば不要なものがまとわりついているのですから。

もう一つは、体への刺激です。皮膚に対する物理的な刺激のほか、血流などに作用して、体の内部に変化を起こすのです。これについては、たしかに湯船につかったほうがより効果が高いでしょう。でも、シャワーだけでも刺激にはなります。マッサージみたいな感じで。そして何より、心理的効果が大きいと思います。水で体を流すことができると、きれいになった感じがします。これはもう感覚の問題です。

先ほど神道の話をしましたが、特に日本の場合、よほど穢《けが》れの感覚が日常に内在化されているのでしょうか。汚れを落とすことこそが正しいことであり、それは自分自身を一からやり直すことにつながってさえいるのです。罪を水で清める禊《みそぎ》という行為がありますが、「禊がすんだ」といわれると、本当にその人の罪がなくなったかのように思ってしまうから不思議です。

●精神が傷ついたときにこそ入浴しよう

しかし、日本に限らず、人間にとって水は母なる存在です。原始的な生活を送っていたころから、地球上のどこでも川や湖に入って、体を清め、癒してきたはずです。そこまでさかのぼって考えれば、水で体を流す行為は、人間にとっての基本的な営みの一つといってもいいと思います。

それはそもそも人間が水の中から生まれてきたということとも関係しているのではないでしょうか。

つまり太古の昔、生物は海の中に棲息していたわけですし、陸で生活する人間へと進化してからも、生まれるときは常に母親の羊水の中から出てくるわけです。

そう考えると、人間が水につかるごとに再生された感じになるのは、ＤＮＡのなせるわざなのかもしれません。水に入ることで、太古の昔や胎児の記憶がよみがえり、再び生まれた気持ちになる。もちろん実際には体が変化して細胞が生まれ変わるわけではありませんから、あくまで精神が再生されるだけです。

でも、そのことの意味は大きいと思うのです。精神の再生はそう簡単ではありません。日々生きるということは疲れることでもあります。体を酷使し、気を遣《つか》い、ストレスをためていく。そんな日々を送っていると、自然に精神は傷んでくるのです。

だから私たちは、なんとかしてその傷んだ精神を再生させようと、あれこれあがきます。寝たり、おいしいものを食べたり、余暇を楽しんだりと。そのうちの一つが入浴なのです。しかもそれは、精神の再生という意味ではもっとも意義深いものの一つです。

●入浴は「いつもと違う思考モードタイム」

入浴をする理由は先ほど述べた通りですが、個人的にはほかにも理由があると思います。

私の場合、入浴が哲学する時間になっているのです。そのため、別の意味で精神を再生する機会になっています。

入浴中は体を洗ったり、シャワーを浴びたり、湯船につかったりするので、ほかのことができません。テレビやラジオを持ち込んだり、本を読んだりという人もいますが、普通は何もできないでしょう。

そこで私は、入浴中に哲学することにしたのです。つまり、思考するということです。それなら何も持ち込まなくてもできますから。頭を洗いながら、体を洗いながら、ひたすらシャワーを浴びながら、じっくりと考えるのです。

これは結構効果があります。やはり体が刺激を受けているからだと思います。リラックスしているというのもあるかもしれません。いつもとは違ったモードで頭が働くのです。そうして疑問が解決したり、思考が深まったり、アイデアが出てきたりします。散歩しながら考えると、いつもと違う思考モードになるというのと同じですね。

別に哲学でなくてもいいと思います。ただ考える時間にあてるということなら、誰でもできるはずです。すでにやっている人も多いかもしれません。そうして行き詰まった思考がほぐされれば、精神の再生になるに違いありません。

そういえば、アルキメデスは入浴中にかの有名な「アルキメデスの原理」を思いついたとされていますね。それで裸で飛び出てきて「ユーリカ！（やったー！）」と叫んだとか。

よく入浴すると心も体もすっきりするといいますが、心と体だけではなく、頭も加えることができると思うのです。心も体も頭もすっきりする。まさに自分全体の再生です。私も原稿を書いて精神が疲れてきたので、このへんで入浴タイムを取りたいと思います。仕事の続きはまた後で……。

スポーツについて考える——その目的とは何か？

●スポーツは、運動や体育とどこが違うのか

コロナ禍によって室内で行うエンターテインメントが制限されているせいか、スポーツへの関心がいつになく高まっていますね。私の周囲でも、これまであまりスポーツをしなかった人が急にジョギングを始めたり、筋トレを始めたりしています。実は私も毎日一時間程度ジョギングと、筋トレをしていますし、週に一回程度テニスをしています。

それにしてもそもそもスポーツとはどういうことなのでしょうか？　単なる運動とは違うのかどうか。またほかの人間の営みとはどう違うのか。

まず運動という言葉は、体を動かすだけの営みとして使われているように思います。似たような言葉に体育がありますが、こちらは育てるという言葉が含まれているだけに、体を育むところに重点があるようです。だから教育の現場では体育という言葉が使われます。

これらに対してスポーツは、体だけでなく心の作用にも関係する言葉として用いられているように思います。たとえばスポーツマンというと、単に体を動かすのが得意な人ということだけではなく、いかにも精神が健全で、爽やかな人を指しますよね。

●スポーツは体と心の両方に作用する営み

たしかにスポーツは、体はもちろん心にも健康をもたらしてくれる営みです。そこが人間のほかの営みとは違うところでもあります。勉強は頭を使うのが主ですし、宗教は心の営みといった感じがします。食事や睡眠は逆に体が主の営みのような気がします。

これらと比較すると、やっぱりスポーツは体と心の両方に作用する営みなのです。でも、それがなぜなのかはあまり考えたことがないのではないでしょうか。

スポーツとはいったい何なのか。一般には、スポーツという言葉は、身体運動の総称として用いられています。語源をさかのぼると、ラテン語で「運ぶ」という意味の「デポルターレ」に由来するようです。そこから気持ちを運ぶ、つまり「気晴らし」という意味を持った英語のスポーツにつながっていったといいます。

ですから、今でもスポーツという英語には運動のほかに気晴らしという意味があります。たしかに、スポーツをすると気晴らしになりますよね。この語源に由来する気晴らしという要素はとても重要だと思います。

●スポーツを構成する四つの要素

「気晴らしについて考える」でも紹介しましたが、人間に気晴らしが必要であることは、イギリスの哲学者バートランド・ラッセルも論じているところです。

人間は退屈に耐えられないので、体を使って気晴らしをするためにさまざまな工夫をしてきたというのです。狩りもそうですし、王が戦争をすることさえそれが原因だといいます。

でも、そうすると体を使って気晴らしをすることはすべてスポーツといえるのでしょうか? たとえば、e-スポーツと呼ばれるゲームなどはどうでしょうか。

これについては、スポーツを構成するといわれる四つの要素、つまり①遊戯性（遊びの要素）、②組織性（集団でやる要素）、③競争性（競い合う要素）、④身体性（体を使う要素）に照らして考えてみれば分かると思います。

e-スポーツの場合、遊戯性はもちろんのこと、組織性や競争性もありますが、問題になるのは身体性でしょう。同じことはロボットスーツを着て競うような近未来の競技にも当てはまります。

たしかに私たちは、スポーツと体を動かすことをほとんど同じ意味であるかのようにとらえています。だから指を動かすだけのゲームや、極端にいうと脳から指示を送るだけの行為はスポーツとだとは思えないのです。

●e-スポーツはスポーツか？

でも、いったいどこからどこまでが体で、どこからは体でないのか。

かつてフランスの哲学者メルロ＝ポンティは、心と体をつながったものとしてとらえました。なぜなら、体が先に動いたり、世界を感知することによって、それが心に作用することがあり得るからです。とするならば、心と体は少なくともどこかでつながっているといえそうです。その境目ははたして存在するのかどうか。

こうした視点に立てば、指はおろか、脳を働かせるだけでも体を動かしたといえるので、e-スポーツやロボットスーツによる競技もスポーツといえそうな気がしてきます。

その意味で、テクノロジーの時代に開催される今後のオリンピックは、スポーツの限界を問う大会にもなっていきそうです。

●何を目的にスポーツをするのか

オリンピックに関して最後にもう一つ考えておきたいのは、スポーツにおける正しさについてです。これはスポーツ倫理とも呼ばれる分野ですが、スポーツの概念が広がれば広がるほど、そこにおける正しさもまた曖昧《あいまい》になってきます。人間同士ならつぶし合いは正しくないとされても、ロボット同士なら許されるかもしれません。

これについては、古代ギリシアの哲学者アリストテレスの目的論が参考になるでしょう。

アリストテレスは、最高のフルートは誰が所有するべきかと問いかけました。そして、正義を目的から考えることを訴えたのです。そうすると、フルートの目的はいい音を出すことなので、それができるのは最高のフルート奏者だということになります。したがって、最高のフルート奏者が所有するのが正しいということになるわけです。

このロジックによると、個々のスポーツの目的が、正しさを考えるうえでの基準になるといえます。たとえば、ロボット同士を戦わせるような競技の場合はどうか。激しい戦いだと人間では危険だからロボットを使うというのが目的なら、ある程度の危険行為も正しいとされるかもしれません。

オリンピックも時代とともに進化していきます。ハイテクの技術が活躍する点では、パラリンピックの進化のほうが大きいでしょう。その中で何が正しいのか考えるためには、目的にさかのぼるのがいちばんです。

さて、オリンピックをどう楽しむべきか？　どうしても国家対抗なので、その点に目が行きがちですが、それはそれぞれの国のトップの選手が参加しているということにすぎません。

むしろトップ選手が競い合うという目的にさかのぼって考えるなら、ナショナリズムのような狭い枠組みを超えて、人間の可能性を感じる機会として楽しむべきではないでしょうか。

四年に一度、しかもパンデミックの時代ですから、今後はそんな頻度で開催されるかどうかも分からない貴重なスポーツの祭典です。より壮大な視点でとらえたいものです。

友人について考える――いつ真の友情は生まれるのか

●自分にとって有益な存在

友だちの存在は、私たちの日常のメンタルヘルスにとって大きな意味を持っています。家族だと距離が近すぎて、遠慮もなくなるので、どうしても感情的になりがちです。いいときはいいのですが、そうでないときは逆にメンタルヘルスに悪影響を及ぼすことさえあるといっていいでしょう。親子喧嘩や夫婦喧嘩のように。

そんなとき信頼できる友人がいれば、話を聞いてくれたり、慰めてくれたりするはずです。友人は家族ほど距離が近いわけではないですが、まったく見ず知らずの他人でもないので、客観的かつ親身になって寄り添えるわけです。

その友人が優れた人であればあるほど、私たちの心は癒されるといえるのではないでしょうか。中国の思想家孔子は、まさに友人の要素としてそうした優れた部分を要求しています。有名なフレーズ、「朋《とも》あり遠方より来《き》たる、亦《ま》た楽しからず乎《や》」。実はこれは、かつて学習向上の結果として得られた同志の友が、遠い所から訪ねて来てくれるのは、いかにも楽しいことだという意味なのです。どんな友だちでもいいというわけではない点がポイントです。

もっとストレートに、こうもいっています。「有益な友だちが三種、有害な友だちが三種。正直な人を友だちにし、誠心の人を友だちにし、もの知りを友だちにするのは、有益だ。体裁ぶったのを友だちにし、うわべだけのへつらい者を友だちにし、口だけたっしゃなのを友だちにするのは、害だ」と。

つまり、孔子にとっての友だちは学があるほうがよく、だからこそ自分にとって有益な存在になるというわけです。そう聞くといかにもエリートの発想で、いやらしいと感じる人もいるかもしれません。たしかに、「類は友を呼ぶ」といいますから、私のような教師、あるいは子を持つ親の立場からすると、孔子のいうようにできるだけ優秀な友人と付き合って欲しいとは思います。

●有用ゆえの愛、快楽ゆえの愛、善ゆえの愛

しかし、友人の意義とはそれにとどまるものではないはずです。古代ギリシアの哲学者

アリストテレスは、歴史上早い段階でこの友情についての議論を展開したことで知られています。二千数百年前の友情論ですが、それは今でも言及されるほど納得のいくものです。

彼は友情のことをフィリアと呼んでいます。友愛とか単に愛と訳されることもある古代ギリシア語です。仲間への愛を意味すると思ってもらえばいいでしょう。なぜアリストテレスがこのような概念について論じたかというと、それは彼がポリスと呼ばれる都市国家に住んでいたからです。

小規模のものだと、数百人程度が同じ集落で共同しながら生活していたといいます。そうすると、仲間のことを想う気持ちが非常に重要になってきます。その信頼関係がベースとなって、共同体が営まれるからです。

したがって、アリストテレスにいわせると、フィリアとは相手のことを自分と同じように思う気持ちなのです。それ以上でもそれ以下であってもいけません。それ以上なら、無償の愛になるでしょう。それはどちらかというと子どもに対する親の愛のようなものだといえます。それ以下だと、見下した感じになってしまったり、相手を都合のいいように利用する関係に成り下がってしまうでしょう。

とはいうものの、人はついつい自分を優先してしまったり、損得勘定を考えてしまうことがあります。仲間を愛しているといいながら、所詮《しょせん》は自分のメリットのことばかり考えて付き合っているような人はいるものです。

この点を踏まえてアリストテレスは、フィリアを三つに分類して分析します。「有用ゆえの愛」「快楽ゆえの愛」「善ゆえの愛」の三つです。

有用ゆえの愛とは、相手が有用だから付き合うというものです。先ほどの孔子ではないですが、「優秀な友だちと付き合っていると得をする」などというような場合です。

快楽ゆえの愛もこれに似ています。その相手と付き合っていると快適だから愛するというものです。これもまた人を快楽の道具にしているように聞こえてしまいます。

したがって、こうした愛は非本来的な性質を持つものにすぎないとされます。現に、有用でなくなったり快楽が得られなくなると、そんな関係はいとも簡単に解消されてしまうものです。

これに対して、善ゆえの愛とは、相手にとっての善を相手のために願う人々の愛をいいます。この愛は、無条件な意味での善であり、自分が善き人である限り永続するわけです。たとえば、このコロナ禍でふと「あいつどうしてるかな?」、「大丈夫かな?」などと気になった友だちはいませんか？　それはまさに善ゆえの愛だと思うのです。人から信頼を得るために求められるのは、こうした愛にほかなりません。

●自分が変わってこそ「真友」を得られる

しかし、ここで多くの人は、そんなことがはたして可能なのかと疑問を持たれるのではないでしょうか？　いわばこれは完全な利他的精神が可能かどうかという問題です。先ほども少し触れましたが、結局人間は自分のメリットを考えてしまう生き物です。それはもう生存のための本能であるとさえいっていいでしょう。にもかかわらず、真の友情には完全な利他的精神が求められるとしたら、本当の友情などあり得ないのではないかと思えてくるからです。

これについて倫理学者の児玉聡さんが、『実践・倫理学』（勁草書房）という本の中でとても参考になることを書かれています。完全な利他的精神は難しいかもしれないとしたうえで、それでも少なくとも二つの例外があるというのです。

一つは、衝動的あるいは本能的に善行をする場合だといいます。溺《おぼ》れている子どもを助けるためにとっさに川に飛び込んだり、電車のホームに落ちた人を助ける行為のように。

もう一つは、とっさではなくても命を失うような自己犠牲的な行為の場合です。例として二〇一四年に韓国の旅客船セウォル号が沈没した際、自分の命を犠牲にして乗客の救助にあたった女性乗務員の話が挙げられています。

このように、私たちが完全な利他的精神に基づいて行動することはあり得ないとはいいきれません。したがって、友情についてもアリストテレスのいう「善ゆえの愛」はあり得るのではないでしょうか？

太宰治の名作「走れメロス」はまさにそうですよね。メロスもセリヌンティウスも、一度は利己的な気持ちが頭をよぎりますが、最後は善ゆえの愛を実践したのではないかと思います。皆さんには真の友人がいますか？　いないという人は、まず自分のほうが変わることをおすすめします。自分が変わってこそ「真友」は得られるのです。

「ひきこもり」について考える——時に必要な選択肢

●「8050問題」という新たな問題

ひきこもりが再び社会問題になっています。この言葉が人口に膾炙《かいしゃ》し始めたのは、一九九〇年代後半ころです。当時不登校からひきこもり状態になった二十代の若者が社会問題として注目を浴びたのです。

九〇年代後半といえば、バブルがはじけて就職難になっていた時期です。奇《く》しくも私自身もこの時期ちょうどひきこもりでした。ところが、その時代の若者たちはそのままひきこもり続け、いまや五十歳くらいになっています。

こんなふうに、ひきこもりが長期化し、今また別の問題が生じているのです。それがいわゆる「８０５０問題」です。

ひきこもりが長期化することで、八十代の親が五十代のひきこもりの子どもの世話をするという事態が生じているのです。なぜこれが問題なのかというと、親が現役のうちはいいのですが、そうではなくなると、自分と配偶者を支えるだけでも大変なのに、いつまでも無職の子どもの面倒を見ることが負担になってくるからです。

ひきこもりが再び社会問題になっているのはそうした理由からです。年老いた親にとっては、ひきこもりの子どもの面倒を見るのは、肉体的にはもちろんのこと、経済的、そして精神的負担になります。その精神的負担によるストレスが原因で、ちょっとしたことから口論になったり、時には暴力をふるったりという問題にも発展しかねません。実際、それが親子間の殺人事件に至るケースもあります。

●時には「ひきこもる」という選択肢も必要

そうしたショッキングな事件が、ひきこもり問題への着目に拍車をかけています。しかし、だからといって、ひきこもりのすべてが悪であり、潜在的犯罪者であるかのような偏見には気をつけなければなりません。

私自身のひきこもり経験からしても、この生きづらい現代社会においては、ひきこもりという選択肢も時には必要な場合があるように思うのです。

そこで、あえてひきこもりを選択するということもあっていいのではないでしょうか。

世間の基準に合わせて生きていれば、それで幸せになれるとは限りません。むしろ自分軸で生きたほうが納得がいき、結果として幸せになれることもあるように思います。

まさにドイツの哲学者ニーチェは、そうやって自分独自の判断基準を持つことを主張しました。

●問題は自分で生き方を選択したかどうか

ニーチェによると、物事の善し悪しを判断する際、二種類の評価基準が存在するといいます。一つは騎士的・貴族的評価様式です。これは善し悪しを自分で判断するというもの。自分で自分を善いと感じる自己肯定ができる人がそれに当たります。

もう一つは僧職的評価様式です。この場合、善し悪しは他者の評価に委ねます。そういう人は、自分自身の正しさの基準を持ってはいません。

でも、他者はいつも自分のことを善く評価してくれるわけではないため、悪くいわれたときに反感を抱きがちです。そうした反感のことを「ルサンチマン」といいます。いわば負け惜しみです。本当は自分のほうが正しい、間違っているのは世間のほうだとか言い出すのです。

ひきこもりという選択をしようが、外で働く選択をしようが、自分の判断基準で選びさえすれば、そのようなルサンチマンを抱くことはないでしょう。

つまり、ひきこもること自体が問題なのではなくて、自分で積極的に選んだかどうかが問題なのです。そうでないと失敗したときに人のせいにして、逆恨みするなどということになりかねませんから。

しかし、いったんひきこもってしまうと、そこから容易に抜け出すことができなくなるのも事実です。だからこそ、ひきこもりは長期化するのです。

中高年のひきもりが推計で六十一万人以上いるというデータも出ています。社会から隔離された世界で長く生活していると、感覚が麻痺してくることがあります。人恋しいにもかかわらず、うまくコミュニケーションを取る手段がないと、ストーカーまがいのことをしてしまったりということにもなりかねません。

私の場合は、かつて自伝にも書いたことがあるのですが、訪問販売員を家に入れ、一緒にギターを弾くという異常行動に出ていました。相手は同性なのですが。でも、それさえも友人から異常さを指摘されるまで気づかなかったのです。幸い犯罪には巻き込まれませんでしたが、時間の問題だったのかもしれません。

その意味では、周囲にいる人たちが、なんらかの方法で手を差し伸べてあげる必要があるでしょう。

●ひきこもりは家庭問題ではなく社会問題

そこで参考になるのが、フランスの哲学者レヴィナスの倫理の概念です。

レヴィナスによると、私たちは誰もが他者に対する無限の責任を負っているといいます。他者に対して何一つ悪いことをしていなくてもです。レヴィナスは、この非対称な関係を倫理と呼びます。

たしかに、私たちは自分だけの力でこの世に存在しているわけではありません。他者に負っているものがたくさんあります。だから、そもそも他者に対して責任があるという発想は分からなくもありません。

とりわけひきこもりの場合は、親が子どもの人生に対して責任を負っていることは間違いないでしょう。だからこそ犯罪を犯してしまう前に、何とかしなければならないのです。

でも、そこでやるべきことは、けっして子どもの犯罪を止めるために、子どもを殺《あや》めることではありません。それは問題から目を背《そむ》けるのに等しい行為だといえます。

レヴィナスは、他者と向き合うために、一人ひとり異なる「顔」を見るように説きました。人間の顔は一人ひとり異なると同時に、個性を示すものであり、また悲しみを訴えるものでもあります。その顔に、その叫びに今一度向き合うことこそが、倫理であり、親の責任というものなのではないでしょうか。

もちろん親だけが責任を負っているわけではありません。レヴィナスがいうように、誰もが責任を負っているのです。教師も、上司や同僚も、地域社会の一員も。

ひきこもっている人たちに手を差し伸べるのは、社会の義務であり、一丸となって取り組む必要があります。一家庭の問題にしてしまっては、あまりに親の荷が重く、社会が不安定化してしまいます。

今、私たちに求められているのは、ひきこもる自由を認めることと、同時にそこからもっと自由に抜け出すことのできる仕組みを構築することだといえるでしょう。

ＡＩ時代について考える——むやみに怖がることはない

●人間にしかできない仕事への転換期

毎日のようにＡＩの進化とＡＩ導入に関するニュースを目にします。深層学習（ディープラーニング）と呼ばれる技術によって、ＡＩはたくさんのデータさえあれば、自律的に進化していくことが可能になりました。ＡＩが囲碁のチャンピオンに勝てたのもそのおかげです。

同じ仕組みを利用すれば、ＣＴやＭＲＩなどの画像も診断できます。ということは、医者からその仕事を奪うことにもなるのです。医者が仕事を奪われるくらいですから、多くの単純作業はＡＩに取って代わられるでしょう。実際、ＯＥＣＤの調査によると、これから二十年以内に既存の職業の一四％が自動化によって消滅するとされています。だからＡＩに仕事が奪われるという不安が広がっているのです。

たしかに、ある程度は自動化されるでしょうから、それによって仕事がなくなるかもしれません。でもそれはこれまでもずっと起こってきたことです。新しいテクノロジーが出てくるたびに、人間はまさに機械的な仕事から解放され、より人間的な仕事をするようになったといっていいでしょう。

では、より人間的な仕事とはどういうものなのでしょうか。一言でいうと、それはより頭を使うクリエイティブな仕事ということです。

産業革命で多くの重労働が機械化されたことにより、人間はより頭を使う仕事に集中できるようになりました。そしてパソコンが導入されたことによって、人間はクリエイティブな仕事に集中できるようになったのです。

とするならば、今、私たちが直面しているＡＩ導入にしても同様に、人間にしかできない仕事への転換の機会だと思えば、何も怖がることはありません。それどころか、むしろ歓迎すべき事態だとさえいえます。よりクリエイティブな仕事ができるようになるのですから。

●AIの弱点を人間の強みと考える

そんなふうにいうと、誰もがクリエイティブな仕事に就いているわけではないとか、どんな仕事もクリエイティブにできるわけではないと反論する人がいます。

しかし、私がここでいっているクリエイティブな仕事とは、別にみんながみんなピカソになるという話ではないのです。それは不可能でしょう。そうではなくて、あくまで自分が携わっている仕事にひと工夫加えることで、ＡＩにはできないようなことをやりましょうと提案しているだけです。

意外にそれは簡単で、ＡＩと人間の違いを挙げてみれば、容易に見つかります。

私はよくＡＩの弱みイコール人間の強みだとして、次の一〇個の能力を挙げています。つまりＡＩには、①常識が分からない、②計算しかできない、③経験がない、④意志がない、⑤意味が分からない、⑥身体がない、⑦本能がない、⑧感情がない、⑨柔軟性がない、⑩曖昧さが分からないという点です。

これらはＡＩの弱点であると同時に、人間にとっては強みになります。

たとえば、③の経験がないという点についてては、ＡＩにはデータはあっても、そのデータを獲得するに至った経験を欠いています。伝統的な織物である西陣織を作るにはどうしたらいいかというデータがいくらあっても、その技術をマスターするに至った経験は欠いているのです。

西陣織をマスターするには何十年もの年月を要し、かつ一日に一センチほどしか進まないこともあるといいます。これをＡＩがやるようになったとしたら、おそらく一瞬でやり方をインプットし、一日に何十センチ、いや何百メートルだって織ることができるのでしょう。

ただ、はたしてそれを西陣織といっていいのかどうか。西陣織は、長年の経験を通じてノウハウを身につけた職人によって担われているものです。この長年の経験がもたらす職人の勘みたいなものは、データだけで得られるものなのでしょうか。

今でも人工のものと手作りのものだと、いくら無骨でも手作りのもののほうが好まれる傾向があります。

たとえば、機械が握ったおにぎりと、人が手で握ったおにぎり、どちらが人気があるでしょうか？　それは圧倒的に手で握ったおにぎりです。人間の優しさや温かみがそこに表現されているからです。

残念ながらこの部分はいくら技術が高くてもＡＩには奪えないものなのです。なぜなら、ＡＩはどこまでいっても機械であって、人間にはなれないからです。だから人間はその部分に自信を持って、ＡＩにはできないこと、できないやり方を追求し続ければよいのです。そういう態度でいれば、何もＡＩを怖れることなどないはずです。

●人間と機械の棲み分けを考えよう

もう一つ別の観点からＡＩについて不安があるとすれば、それはＡＩの判断がブラックボックスである点です。ディープラーニングは、たくさんのデータからＡＩが勝手に学習し、それをもとに自律的な判断をするものです。したがって、どういう基準で判断したかは人間には分かりません。

ＡＩの権威の一人といっていいカナダの研究者ジェフリー・ヒントンなどは、人間だって無数の経験をもとに判断しているのであって、その意味での判断基準はあいまいなのだから、ＡＩにだけそのような基準を求めるのはナンセンスだといっています。

でも、それだとあまりに不安で、人間の命にかかわる判断は任せられないとして、今説明可能なＡＩ、「ＸＡＩ」の開発が進んでいます。

こうした不安は、やがてＡＩが人間を超える能力を持ち、いわゆるシンギュラリティが到来した後の社会に対する不安にもつながっています。

ＡＩは本当にいつまでも人間の味方やシモベであり続けるのかどうか、不安に感じている人たちがいるのです。ＳＦの世界のようですが、その可能性は否定できません。

未来学者のレイ・カーツワイルは、むしろ人間がそのＡＩと融合して、能力を拡張する時代になると楽観していますが、そこまでいかなくても、これまで通り協働さえできれば問題ないはずです。

ある点でＡＩが人間の能力を超えるにしても、それはＡＩが人間のすべての能力を超える力を持つという意味ではあり得ません。

すでに述べたように、ＡＩが機械である以上、それは不可能なのです。胚から胎児、赤ちゃんを経て大人になる人間と、そうではないＡＩとは本質的に異なる存在です。その異なる存在同士が、だからこそ自らの能力を存分に発揮し、これまでの人間と機械と同じように棲《す》み分けを図るならば、何も恐れることはないと思います。

ＡＩは人間の敵ではなく、むしろ愛（ＡＩ）する対象にさえなるに違いありません。

ウィズコロナについて考える――誠実に仕事に励む

●ウイルスとの戦いは精神のダメージとの戦い

すでに本書の至るところで言及してきましたが、今世紀に入り、人類がはじめて体験するようなウイルス禍が日常を襲っています。新型コロナウイルスが引き起こしたパンデミックです。

日本だけでなく、世界中の人たちがその恐怖にさらされて、不安な日々を過ごしています。緊急事態宣言が出されたり、そのせいでさまざまな活動の自粛を強いられたり、はたまた職場にも学校にも行けず家に閉じ込められたりと、私たちは今、精神的にも非常につらい状況に置かれているといっていいでしょう。

パンデミックの場合、もちろん直接的脅威であるウイルスそのものと戦うことが大事ですが、それ以上に間接的脅威ともいうべき、こうした精神的なダメージと戦うことが重要になってきます。

しかも長期化すればするほど、そっちの側面の戦いが重みを増してきます。とりわけ私たちがストレスを感じているのは、この制限された生活だと思います。家にいないといけない、人と会ってはいけない、外に出ても二メートルのソーシャルディスタンスを保たなければならない等々。

私も今、会議や授業はオンラインが中心になっていますが、自分も含めて人々がパソコンのスクリーン上で小さな枠になってしまっているのにはとても違和感を覚えます。まるで人間が抽象的な存在になってしまったかのような感じです。

そう、この抽象性こそストレスの原因の一つだと思うのです。

●抽象的存在にならない限り人間はウイルスに勝てない

実はこの言葉は私のオリジナルではなく、フランスの哲学者であり、ノーベル賞作家のカミュが『ペスト』で論じていたものです。

彼はウイルス禍を抽象ととらえたうえで、「抽象と戦うためには、多少抽象に似なければならない」といいます。人間という存在はいうまでもなく具体的な存在です。それぞれサイズも違えば、個性があって、物事のやり方も自由です。

ところが、ウイルスという無個性の抽象的存在は、私たちにも抽象的になることを強いるのです。そして、そうならないと彼らには勝てない。カミュがここでいっているのは、具体的な個人の希望や自由をあきらめて、理念的にならないといけないということです。このことは私たちが置かれた現状に重ね合わせるとよく分かると思います。

たとえば、先ほどのオンライン上での自分もそうですが、私たちは今、とかく数字で規定されるようになっています。感染者数、死者数、検査数、人との接触の八割削減、二メートルの間隔といったように。あたかもデータという抽象的存在にならない限り、私たちはウイルスに勝つことができないのです。

それは具体的な存在である人間にとって、とても苦痛なことです。しかもその中で、仕事や勉強、生活を続けていかなければなりません。

制限された中で仕事をするのはとてもしんどい。でも、だからといって自分が直接ウイルスと戦うことなどできないでしょう。戦争中のレジスタンスではないのですから。いきなり市民が銃を取って戦うなんてことはあり得ません。

ではどうすればいいのか？　これもまたカミュが論じていることですが、ウイルスと戦う唯一の方法は誠実になることだといいます。つまり、自分のやるべき仕事を懸命にこなすことです。それしかないのです。

今の状況でいえば、医療従事者が前線で戦っているわけですが、急に誰もがその場に立てるわけがありません。なんとか手伝いたいという気持ちはあるでしょうが。

とするならば、たとえ制限された中ではあっても、自分がこれまでやってきた仕事を誠実にこなすよりほかないのです。それこそが、世の中を止めないことにつながってくるのですから。そう思えれば、少しは頑張れるのではないでしょうか。

●死を可視化させた新型コロナウイルス

このパンデミックの状況において、もう一つ私たちを不安にさせるのが、死への恐怖だと思います。

タレントの志村けんさんが急逝されたときには、日本中がショックを受けました。新型コロナウイルスがもたらす死が、はじめて多くの人々に可視化されたからです。いわば死が目に見えるものとして急に私たちに迫ってきたのです。

その途端、世界の何万という死者数が、単なる数字ではなく、自分自身にもふりかかってくる可能性のある現実の死への恐怖に変わったように思います。このウイルスにかかると、本当に死ぬかもしれないという恐怖です。

ただ、いくら死を恐れても、そこから逃れることはできません。できるだけ新型コロナウイルスにかからないよう生活をすることはできても、この世からその存在がなくならない限り、恐怖自体は残るでしょう。

とするならば、私たちがすべきことは、死を恐れずに生きることではないでしょうか。とても困難なことではありますが。

あえてその困難な方法について論じているのが、アメリカの哲学者シェリー・ケーガンです。死をテーマにした彼の講義は、名門イェール大学で二十年以上にわたって人気を誇っているといいます。

●生きることに専念すれば死への恐怖は克服できる

まずケーガンは死を謎めいたものとしてではなく、科学的なものとしてとらえます。いわゆる物理主義です。人は死んだら魂も含めて消滅してしまうということです。そうしてはじめて死に向き合うことができるからです。なぜなら、死んだらすべて終わるのだから、その瞬間までの時間をいかに生きるかが重要になってくるということです。

そこでケーガンはこう提案します。もし、死んでもこれをやりたいということがあれば、それは死をも恐れず生きられることを意味するのではないかと。

たしかに死んでもやりたいということは、死の恐怖を上回っているということであり、つまりは恐怖を克服した状態といえます。それを見つければいいのです。そしてそのことに専念すれば、死への恐怖よりも、今を生きることのほうが重要であることを実感することができるでしょう。

死と隣り合わせの日常だからこそ、今こそ自分が本当にやりたいことを見つめ直してみる。それこそが死への恐怖から逃れる唯一の道であるように思えてなりません。こうした生き方は、死におびえて逃げたり、祈ったりするだけの人生とは異なり、より私たちの気持ちを前向きにさせてくれるものといえるのではないでしょうか。

幸福について考える——衝突する時代の「幸福論3.0」

●多様な幸福像を求め、さまよう時代

心穏やかに過ごすということは、つまり幸福の言い換えでもあります。皆さんも幸福だと心穏やかに過ごせますよね？　でも、どうすれば心穏やかになれるかというと、それは人によってさまざまなのです。ここが幸福の難しいところです。

もし同じなら、皆同じようにしていれば幸福になれるはずです。実は日本では比較的そうした幸福感が共有されてきたように思います。特に戦後はそうです。経済的に豊かになることが誰にとっても目標でしたから。国家にとっても、企業にとっても、そしてそこで働く個人にとっても。

お金さえあれば心が満たされたのです。お金はなんでも買うことができ、それこそが豊かさの象徴でしたから。ところが、一九九〇年代初頭にバブルがはじけて、まさにお金に対する幻想、物質的なものに対する幻想もまたはじけてしまいました。経済的に豊かにな

ることイコール幸福ではなくなってしまったのです。そうして日本社会も多様な幸福像を求めてさまよい始めたのです。

●哲学の世界におけるさまざまな幸福論

いったい幸福は何で測ればいいのか？　哲学の世界には、そんな幸福の基準についていくつかの考え方があります。

いちばん知られていて、かつ多くの人が使っているのが、功利主義という基準です。イギリスの思想家ベンサムが唱えたもので、効用を最大化するのが幸福だと考えるものです。「最大多数の最大幸福」のスローガンでも知られています。快楽と苦痛を比較して、快楽が大きければ大きいほどよいと考えるのです。だから「快楽計算」などと呼ばれたりします。たしかに、より多くの「快」を得られることが幸せだというのは、誰にとっても分かりやすいですよね。

実際、世の中の幸福はこの基準をもとにして測られていることが多いといえます。経済成長を幸福としていた戦後の日本もそうですし、今でも基本的に日本社会はこの基準を採用しているといえます。企業もそうです。多少の犠牲が出ても、全体として利益が出るならいいだろうと考えがちです。

しかし、何を快楽と感じるかは人それぞれですから、必ずしも量が多ければいいというものではありません。人によっては変なことに快楽を感じる人もいるはずです。たとえ量が少なくても。

要は、その人自身が満たされていればいいわけです。これを「快楽主義」といいます。ヘレニズム期の哲学者エピクロスが唱えたものです。

快楽主義というと、いかにも酒池肉林を思い浮かべる人がいるかもしれませんが、あくまで目的はその人の心が満たされることです。ですから、多すぎてはいけないのです。食べすぎるとお腹をこわしてしまうように。

この快楽主義の反対が禁欲主義です。中には欲を抑えることではじめて心が満たされるという人もいます。

人間には欲があります。しかもその欲は常に拡大していきます。皆さんも心当たりがあるのではないでしょうか？　欲しいと思っていたものを手に入れたとたん、また別のものが欲しくなる。きりがありませんよね。

だから快楽主義のように、満たすことで心を落ち着かせるというのは至難の業なのです。そこで、むしろあきらめるという選択によって幸福になろうというわけです。

こうした思想を唱えたのが、ドイツの哲学者ショーペンハウアーや、ヘレニズム期のストア派の思想家たちです。

彼らはいずれも禁欲をよしとしています。禁欲主義者のメンタリティを表す言葉「ストイック」がこのストア派に由来することは、「休養とは何か」の項でも触れました。

●「足る」を知れば幸せになれるのか

とはいえ、欲を抑えるというのもまた難しい要求です。よほど訓練をしないと、普通の人にはできないように思います。そこで、もっと簡単に欲求を抑える方法をご紹介したいと思います。それは、中国の思想家老子が唱えたタオの思想です。

タオとは、宇宙の原理を表す「道」のことです。彼は、この原理に従っていれば幸福になれると考えました。中でも「足るを知る」という言葉が象徴的です。これは今あるものに目を向けることで、満足せよと説くものです。

たしかに人は、ないものにばかり目を向けがちです。しかし、何もないわけではないと思うのです。そうしたすでに持っているもの、つまり足りているものに目を向けることさえできれば、幸せになれるということです。

●自分だけでなく、他者も同時に幸せに

以上のように、幸せの基準もさまざまです。したがって、どの基準を採用するかで、何を幸せに感じるかは変わってくるのです。もちろんこれはどれが正しいという話ではありません。どの基準を採用するにしても、自分が納得できればそれでいいのです。ただ問題は、私たちは社会の中で生きているという点です。したがって、自分だけが幸せでも、ほかの人が不幸だとうまくいかないのです。場合によっては、自分の幸福が実現できないというようなことにもなりかねません。

そこで私は、「幸福論3.0」なる概念を唱えています。つまり、自分だけが幸せだと感じるのは、幸福論のいちばん最初の段階であって、それは「幸福論1.0」なわけです。これに対して、ほか者の幸せのために自分を犠牲にするという滅私奉公的な考えは、「幸福論2.0」だといっていいでしょう。

でも、それではまだ幸福論としては不十分だといわざるを得ません。

結局、真の幸福とは、自分だけでなく、他者も同時に幸せになるような状況だといって

いいでしょう。それは一見実現困難に思えますが、けっして不可能ではありません。こうした状況のことを「幸福論3.0」と呼んでいるのです。

●譲り合って生きれば幸せに近づける

では、「幸福論3.0」はいったいどのようにして実現すればいいのか？　それは自分にとっての幸福の基準と、他者にとっての幸福の基準を常にすり合わせる努力をするよりほかありません。

お互いに他者の幸福感に寛容になる、時には譲り合う。そういう姿勢がないと、相矛盾する幸福感が一つの社会の中で共存することはあり得ないでしょう。

価値が衝突するとき、私たちはそれをどれか一つに統一しようとしがちですが、それでは不幸になる人を生み出しかねません。その意味で「幸福論3.0」は、さまざまな価値が衝突する時代に、みんなが幸福になるべく、なんとか譲り合って生きていくための知恵だといっても過言ではないでしょう。

おわりに——過度に恐れることなく、日常を楽しむ

「はじめに」でも触れた通り、本書はメンタルヘルスをテーマとした定期冊子『COCORO』の連載をまとめたものです。ほとんどの原稿はコロナ禍が発生する前に書いたものでした。しかし、このタイミングで出すわけですから、やはりコロナ禍でおかしくなってしまったこの世の中を、いかにすれば力強く生きていけるか応援するような本にしようということで編集方針が立てられました。

そこで私も大幅な修正を覚悟していたのですが、元の連載の原稿を読み直してみると、意外にもそのままで十分今の状況に対応できるメッセージになっていました。もちろん、コロナ禍の文脈で読み直していただくために、多少は意識して修正を加えましたが、本当にそれは例として入れる程度ですんだのです。

つまり、コロナ禍であろうと、そうでなかろうと、「基本的に人間が心を病む状況はあまり変わらない」ということです。コロナは社会を大きく変えていますが、人間の心を悩

ませるという点においては、単なる新たな事例の一つにすぎないわけです。

価値観の衝突といっても、不安材料やストレスの原因が一つ増えたくらいにとらえておけばいいということです。そう考えると、割と気が楽になるのではないでしょうか。なぜなら、これまでと同様の対処の仕方が有効だということでもあるのですから。本書はそのことを示すことができた点においても、一つ大きな意義があったと感じています。

コロナ禍を過度に不安に思い、恐れる必要はないのです。病気としては恐れる必要はありますが、それがゆえに心を蝕《むしば》み、どうしようもないところまで追いやられるわけではないのです。どんな状況であっても、幸福に生きて行くことは可能です。

ぜひ万全の感染症対策を取りつつも、希望をもって、日常を楽しんでいただければと思います。

コロナの感染拡大が報じられる二度目の緊急事態宣言下に

小川仁志

本書はウェルリンク株式会社の定期刊行冊子「ＣＯＣＯＲＯ」に連載中の「読んで考えるサプリ」をまとめたものです。単行本化にあたって加筆、修正を施しました。

〈著者紹介〉
小川 仁志（おがわ ひとし）
1970年、京都府生まれ。哲学者。山口大学国際総合科学部教授。博士（人間文化）。専門は公共哲学。京都大学法学部卒、名古屋市立大学大学院博士後期課程修了。徳山工業高等専門学校准教授、米プリンストン大学客員研究員等を経て現職。商社マン（伊藤忠商事）、フリーター、公務員（名古屋市役所）を経た異色の経歴を持つ。大学で新しい課題解決型教育に取り組む傍ら、「哲学カフェ」を主宰するなど「市民のための哲学」を実践している。また、テレビをはじめ各種メディアにて哲学の普及に努めている。ＮＨＫ・Ｅテレ「世界の哲学者に人生相談」には指南役として出演した。最近はビジネス向けの哲学研修も多く手がけている。ベストセラーとなった『７日間で突然頭がよくなる本』（ＰＨＰ研究所）はじめ、『孤独を生き抜く哲学』（河出書房新社）、『人生100年時代の覚悟の決め方』（方丈社）、『結果を出したい人は哲学を学びなさい』（毎日新聞出版）など、これまでに100冊以上の書籍を刊行している。YouTube「小川仁志の哲学チャンネル」を発信中。

幸福論3.0
価値観が衝突する時代を柔軟に生きる

2021年3月31日　第1版第1刷発行

著者　小川仁志
発行人　宮下研一
発売所　株式会社方丈社
〒101-0051　東京都千代田区神田神保町1-32
星野ビル2F
Tel.03-3518-2272　Fax.03-3518-2273
https://www.hojosha.co.jp/

印刷所　中央精版印刷株式会社

ISBN978-4-908925-74-0